DIE ZEIT

K I N D E R - E D I T I O N

Die schönsten Bücher
zum Vorlesen

Annie M. G. Schmidt
Von Hexen, Riesen und so weiter

Deutsch von Anna Valeton
Zeichnungen von Rolf Rettich

Zeitverlag Gerd Bucerius GmbH & Co. KG

Lizenzausgabe des Zeitverlag Gerd Bucerius GmbH & Co. KG
für DIE ZEIT Kinder-Edition 2006
Herausgeberin: Susanne Gaschke

Hexen, Riesen und so weiter
von Annie M. G. Schmidt
Originaltitel: Heksen en zo
Deutsch von Anna Valeton
Illustrationen von Rolf Rettich

Umschlagillustration: Sybille Hein
Umschlaggestaltung: Buchholz Graphiker
Umbruch, Satz & Repro: Buch-Werkstatt GmbH, Bad Aibling
Druck und Bindung: Clausen & Bosse, Leck
Printed in Germany
ISBN 3-938899-04-2

INHALT

Schnippelchen

Es waren einmal ein König und eine Königin, die wollten so schrecklich gern ein Kind haben. Die Jahre gingen vorüber, und sie bekamen immer noch keins, bis die Königin endlich sagte: »Ob ich einmal zu einer Hexe gehen sollte?«

»Das würde ich nie tun«, sagte der König. »Das gibt nur Unannehmlichkeiten.«

»Eine wohnt ganz in unserer Nähe«, sagte die Königin. »Du weißt doch, hinten im Garten in dem großen Birnbaum.«

»Wohnt wirklich eine Hexe in dem Birnbaum?« rief der König erschrocken.

»Stell dich nicht dümmer, als du bist«, sagte die Königin. »Du hast doch selbst erlaubt, dass sie sich da eine Hütte hinbaut. Ganz oben auf einem dicken Ast. Du weißt doch ... Akkeba heißt sie.«

»Ach, die«, sagte der König. »Die Person, die immer so schnell auf ihrem Besenstiel durch die Luft jagt. Und die willst du bitten, ob ...«

Aber die Königin war schon fort. Sie ging in den Garten, stellte sich unter den Birnbaum und rief: »Akkeba!« Ein wüster alter Hexenkopf lugte zwischen den Birnen hervor.
»Wer ruft mich da?« fragte der Hexenkopf.
»Ich bin's«, sagte die Königin. »Ich möchte so gern ein Kind haben.«
»Komm ein bisschen höher. Ich kann dich nicht verstehen!« schrie die Hexe.
So kletterte die Königin in den Birnbaum hinauf bis dicht vor die Hütte, die zwischen den Ästen stand, und dort wiederholte sie ihre Bitte.
»So, so«, murmelte die Hexe. »Ein Kind – ei, ei –, mal sehen, was sich tun lässt ... Hier«, sagte sie dann und gab der Königin ein Ei. Ein kleines gesprenkeltes Ei.
»Was soll ich damit?« fragte die Königin.
»Ausbrüten natürlich«, sagte die Hexe. »Was denn sonst? Es ist ein Drosselei. Setz dich drei Wochen drauf und brüte es aus.«
»Aber ...« sagte die Königin mit zitternder Stimme, »wird es dann nicht ein Vogel?«
»Ganz und gar nicht«, sagte die Hexe. »Es wird eine Prinzessin mit allem Drum und Dran.«
»Und, eh – wo soll ich das denn tun? Wo soll ich es denn ausbrüten?« fragte die Königin.
»In dem Baum nebenan«, sagte Akkeba, »in der alten Linde dort.«

»Ich will erst meinen Gemahl fragen«, sagte die Königin und kletterte mit dem Ei hinunter.
»Vergiss nicht«, rief ihr die Hexe nach, »vergiss nicht, dass du deine Tochter im Herbst immer im Haus behalten musst. Sonst fliegt sie mit den Zugvögeln davon.«
Die Königin bedankte sich bei der Hexe und ging in den Palast zurück. »Soll ich es tun?« fragte sie den König. »Eigentlich ist es mir ein bisschen zuwider. Und dann – eine Königin, die auf einem Baum sitzt und brütet ... Schickt sich denn das?«
»Es schickt sich ganz und gar nicht«, sagte der König. »Ich lehne es ab!«
»Ich möchte aber gern«, sagte die Königin.
»Ja, wenn du mit aller Gewalt willst«, sagte der König. »Nimm wenigstens drei Daunenkissen mit, damit du warm und weich sitzt. Und ich lass einen Bretterzaun um die Linde herumbauen, sonst sieht das ganze Königreich dich da sitzen, und das ist höchst überflüssig.«
Und so geschah es. Die Königin saß drei Wochen lang recht unbequem in Spitzenröcken auf ihren Daunenkissen oben im Lindenbaum, aber zum Glück konnte niemand sie sehen, denn ein eleganter Bretterzaun war um den Baum herumgebaut worden.
Nach drei Wochen platzte das Ei auf, und es kam wahrhaftig kein Vogel heraus, sondern ein Kindchen. Ein niedliches klitzekleines Mädchen mit Haaren und

Nägeln und einem Näschen, ein ganz richtiges süßes Prinzesschen.
»Wer hätte das gedacht«, brummte der König, als die Königin mit dem Kind hereintrat. »So eine schmucke Tochter! Sie hat zwar drei schwarze Tüpfelchen auf dem Bauch, aber das schadet nichts, die kann man immer mit einem Kleid verdecken. Und jetzt wird ein Fest gefeiert!«
Es wurde ein prachtvolles Fest, alle Häuser hatten geflaggt, und die Hexe kam von ihrem Birnbaum heruntergestiegen, um die Prinzessin zu sehen. Sie kitzelte das Kind unterm Kinn und sagte zu der Königin: »Ist das nicht fabelhaft gelungen? Aber sei nur ja vorsichtig im Herbst. Nie, nie, nie nach draußen lassen, wenn die Blätter fallen.«
Darauf flog sie durch das offene Fenster hinaus – schnell wie ein Düsenjäger.
Die kleine Prinzessin hieß Gloriandarina, aber jedermann nannte sie Schnippelchen, das war einfacher. Sie wuchs ganz normal heran und sah in keiner Weise aus wie ein Vogel. Sie war brav und schön und immer vergnügt, außer im Herbst, denn da durfte sie nicht vor die Tür.
»Warte, bis der erste Schnee fällt«, sagte die Königin, »dann darfst du mit dem Schlitten in den Park. Nur noch ein bisschen Geduld – ein klein bisschen Geduld.«
Aber an einem jener stürmischen Herbsttage stand Schnippelchen am Fenster und langweilte sich. Draußen tanzten gelbe Blätter über den Rasen. Sie sanken immer wieder

langsam ins Gras hinunter, bis der heftige Wind sie erneut aufjagte und ein tolles Spiel mit ihnen trieb und noch mehr welke Blätter von den Bäumen wehte.
»Ich will mit dem Wind und den Blättern spielen!« rief Schnippelchen und machte das Fenster auf. Sie kletterte hinaus und rannte zwischen den Bäumen im Park hin und her. Und gerade in diesem Augenblick kam ein großer schwarzer Schwarm Vögel über den Park geflogen, Drosseln, die nach Süden zogen.
Schnippelchen streckte die Arme aus und fühlte ein unbändiges Verlangen, mit den Vögeln davonzufliegen. »Nehmt mich mit!« rief sie.
Gleich nach ihr kam die Königin erschrocken in den Garten gestürzt. »Nicht, Schnippelchen, nicht!« rief sie. »Komm sofort herein!«
Aber Schnippelchen hörte nicht. Sie schwang die Arme, stellte sich auf die Zehenspitzen und machte Flugbewegungen. Und die Königin sah, wie ihre Tochter Federn bekam und einen Schnabel und zwei Flügel statt der Arme.
»Mein Kind!« schrie die Königin und rannte auf ihre Tochter zu. Doch Schnippelchen flog mit den anderen Vögeln davon. Sie war keine Prinzessin mehr, sie war eine Drossel.
Weinend ging die Königin zu ihrem Gemahl und erzählte ihm, was geschehen war.
»Wir müssen sofort zu dieser Hexe gehen«, sagte der König und ergriff seine Hermelinmütze.

»Soll ich nicht lieber allein gehen?« fragte die Königin. »Nein«, sagte der König. »Das erledige ich selbst!« Er trabte durch den Garten bis zu dem großen Birnbaum und rief: »Akkeba!«

Der Kopf der Hexe kam zum Vorschein. »Wer will etwas von mir?« fragte sie.

»Meine Tochter ist weggeflogen!« rief der König.

»Komm herauf, ich versteh dich nicht!« rief die Hexe.

Der König kletterte keuchend bis auf den höchsten Ast, auf dem die Hütte der Hexe stand.

»Meine Tochter ist weggeflogen«, sagte er.

»Selber schuld«, sagte die Hexe. »Hättet ihr sie nicht rausgelassen!«

»Ja, aber hör mal!« sagte der König. »Wie sollen wir sie wiederbekommen?«

»Da müsst ihr warten, bis es Frühling wird«, sagte die Hexe.

»Nimm dich in Acht«, sagte der König ärgerlich. »Ich befehle dir, meine Tochter augenblicklich zurückzubringen. Wenn du es nicht tust, lasse ich dir den Kopf abschlagen.«

»Was?« rief Akkeba mit schriller Stimme. »Du willst *mir* etwas befehlen? Mir? Der uralten Hexe Akkeba? Scher dich fort, oder ich verwandle dich in einen Wurm!«

»Du abscheuliches altes Weibsstück ...« fing der König an, kochend vor Zorn, aber die Hexe sagte leise und drohend: »Pass auf – in einen Wurm verwandle ich dich – in so einen, wie sie in den Birnen sitzen! Geh schnell fort – sonst ...« Sie starrte ihn mit wütenden roten Augen an und spuckte nach ihm.

Der arme König erschrak und bekam so eine Angst, dass er ins Rutschen geriet und mit einem schmerzhaften Plumps am Fuß des Baumes landete. Verstört kehrte er in den Palast zurück, wo die Königin auf ihn wartete und ihr Taschentuch an die Augen drückte.
»Und ...?« fragte sie.
»Warten, bis es Frühling wird«, sagte der König.
»Du hast es natürlich wieder falsch gemacht«, sagte die Königin. »Ich werde selbst gehen.«
Aber als die Königin beim Birnbaum ankam, flog Akkeba gerade auf ihrem Besenstiel davon. Unter schrillem Pfeifen jagte sie dreimal um den Park herum und verschwand. Sie kam nicht wieder.
Niemals hatte ein Winter so lange gedauert. Der König und die Königin saßen jeden Tag am Fenster und hielten Ausschau nach dem Frühling. Endlich, endlich war es März, und die Zugvögel kehrten aus dem Süden zurück.
»Wir wollen sie sehr gut behandeln«, sagte der König. »Alle Katzen werden verbannt. Jeder muss nett zu den Drosseln sein. Futter soll gestreut werden, Drosseln dürfen nicht gejagt werden, und jeder Mann in meinem Reich muss den Hut vor einer Drossel ziehen. Denn es könnte die Prinzessin sein.«
Noch nie waren die Drosseln so gut behandelt worden wie damals. Deshalb kamen auch immer mehr und mehr von ihnen ins Land geflogen, und sie waren gar nicht scheu,

sondern saßen in großen Scharen in allen Gärten und sogar bei den Leuten in der Küche und sangen.
Die Königin streifte durch die Parks und die Wälder und rief: »Schnippelchen!«
Und zu jeder Drossel sagte sie: »Bist du vielleicht meine Tochter?«
Aber die Drosseln sangen alle nur ihr kleines Lied, und das war und blieb immer das gleiche, und es gab nichts, woran man hätte erkennen können, welche Drossel eine Prinzessin war. Im Mai kam ein Prinz auf seinem weißen Zelter über die Grenze geritten. Er staunte, als er die Unmengen von Drosseln erblickte. Und als ihm gar ein Schneider entgegenkam, der vor einer Drossel tief den Hut zog, musste der Prinz laut auflachen.
»Wie komisch!« rief er. »Ist das hier üblich?«
»Ja, gewiss«, sagte der Schneider. »Jede Drossel könnte unsere Prinzessin sein.« Und er erzählte die Geschichte von Schnippelchen und der Hexe Akkeba.
»Hat sie rote Augen, diese Hexe?« fragte der Prinz.
»Und ob«, sagte der Schneider. »Und wirres Haar.«
»Und eine lange krumme Nase?« fragte der Prinz. »Und reitet sie auf einem Besenstiel? Dann hab ich sie gesehen. Sie wohnt dicht an der Grenze, hoch oben in einem Apfelbaum. Ich werde persönlich zu ihr gehen.«
Als der Prinz bei dem Apfelbaum ankam, saß die Hexe daneben im Gras und aß einen riesigen Apfel.

»Birnen schmecken doch besser«, sagte sie. »Ich habe dich schon lange erwartet, mein Sohn. Du willst wissen, wie du die Drossel wieder in eine Prinzessin verwandeln kannst, nicht wahr?«

»Vor allem will ich wissen, welche Drossel es ist«, sagte der Prinz. »Anscheinend sind es Millionen.«

»Hast du Perlen bei dir?« fragte die Hexe.

»Zufällig ja«, sagte der Prinz. »Einen ganzen Sack voll.«

»Hier hast du ein Netz«, sagte die Hexe. »Damit kannst du dein Schnippelchen fangen.«

»Aber welche von den Drosseln ist es?« fragte der Prinz.

»Denk mal ein bisschen nach«, sagte die Hexe, »ich kann schließlich nicht alles für dich tun.«

Der Prinz dachte nach. Dann kaufte er bei einem Bauern einen Sack Gerste und ging auf den Hügel, auf dem sich die Drosseln jeden Abend in großer Zahl versammelten. Hier schüttete er den Sack Gerste auf den Boden. Ein Stück weiter leerte er den Sack Perlen aus. Dann setzte er sich hin und wartete. Alle Drosseln kamen angeflogen und drängten sich um die Gerste. Sie flatterten und stritten. Bis auf eine. Dieser eine Vogel ließ die Gerste liegen und stürzte auf die Perlen zu. Er setzte sich dicht daneben und hüpfte aufgeregt hin und her.

»Du bist Schnippelchen«, sagte der Prinz. »Nur eine Prinzessin kann mehr von Perlen besessen sein als von Futter.«

Damit warf er das Hexennetz über sie. Und plötzlich stand ein wunderhübsches Mädchen vor ihm.
Er nahm sie vor sich auf sein Pferd, und sie ritten zusammen zum Palast, wo der König und die Königin anfingen zu weinen vor Freude.
»Wie hast du das bloß fertig gebracht?« fragte die Königin.
»Ach, das war ganz einfach«, sagte der Prinz. »Wirklich nur eine Kleinigkeit.«
Bald wurde die Hochzeit gefeiert, und zwölf Drosseln trugen der Braut die Schleppe. Die alte Hexe Akkeba wohnt wieder in ihrem Birnbaum, und noch immer zieht man in jenem Land den Hut vor jeder Drossel. Falls einmal jemand dorthin kommt, kann er es selbst sehen und wird nun auch begreifen, warum das so ist.

Die Streichholzschachtel

»Gisbert, mein Sohn«, sprach der alte Vater. »Ich werde nicht mehr lange leben. Du weißt, dass ich arm bin und dass du unser Haus verkaufen musst, um meine Schulden bezahlen zu können. Hier hast du hundert Gulden, das ist alles, was ich besitze. Und noch eine Streichholzschachtel. Für die Beerdigung brauchst du nicht zu sorgen, wir sind in der Krankenkasse. Und jetzt gedenke ich meinen letzten Atemzug zu tun.«

»Ach nein, Vater, bitte, tu das nicht«, flehte Gisbert.

»Nun gerade«, sagte der Vater und tat seinen letzten Atemzug. Jetzt war der junge Mann ganz allein. Es gab eine schöne Beerdigung, denn sie waren ja in der Kasse, aber Gisbert weinte sehr auf dem Friedhof und ging dann in das teuerste Hotel der Stadt, wo er aß, übernachtete und frühstückte, und dann waren die hundert Gulden verbraucht.

Missmutig ging Gisbert in den Park und setzte sich auf eine Bank neben eine Krankenschwester.

»Können Sie mir Feuer geben?« fragte sie.

»Gern, Schwester«, sagte Gisbert und holte seine Streichholzschachtel aus der Tasche. Es war gerade noch ein einziges Streichholz darin. Er gab ihr Feuer für ihre Zigarette und wollte die leere Schachtel wegwerfen.
»Halt! Tu das nicht«, sagte die Schwester. »Das ist keine gewöhnliche Schachtel.«
»Wieso?« fragte Gisbert.
»Nein«, sagte sie, »das ist eine ganz komische Schachtel. Du kannst alles hineintun.«
»Was denn zum Beispiel?« fragte Gisbert.
»Diesen Hund zum Beispiel«, sagte die Schwester. Sie nahm die Schachtel, schob sie auf und sagte: »Herein!«
Gisbert sah, wie der große Hund gehorsam in die Schachtel ging. Die Schwester schob sie zu und klapperte damit.
»Er sitzt drin«, sagte sie. »Wenn wir ihn wieder rauslassen wollen, sagen wir einfach: ›Psst.‹«
Sie machte die Schachtel wieder auf, sagte: »Psst«, und der Hund stand wieder auf dem Rasen, wedelte mit dem Schwanz und lief weiter.
»Gilt das für alles?« fragte Gisbert.
»Für alles«, sagte die Schwester. »Versuch es doch mal mit diesem Kinderwagen!«
Gisbert machte die Schachtel auf und sagte: »Herein!« Da verschwand der Kinderwagen mit Baby und allem in der Schachtel. »Hinaus!« sagte Gisbert, aber es geschah nichts.

»Nein, nein«, rief die Schwester hastig, »du darfst nicht sagen ›Hinaus!‹ Du musst sagen: ›Psst!‹«
Gisbert gehorchte, und der Kinderwagen stand wieder auf dem Weg. Das Kind war nicht einmal wach geworden.
»Du kannst dir das Leben leicht machen damit«, sagte die Schwester. »Was brauchst du denn am dringendsten?«
»Ein Haus«, sagte Gisbert. »Geht denn auch ein ganzes Haus hinein?«
»Ja, natürlich«, sagte sie. »Dort am Parktor stehen drei schöne Häuser. Welches möchtest du haben?«
»Das weiße«, sagte Gisbert. »Komm, dann holen wir es«, sagte sie.
»Aber die Leute, die darin wohnen, will ich nicht haben«, sagte Gisbert.
»Da wohnt niemand«, sagte sie. »Es ist ein Büro. Und weil es noch vor neun ist, sind die Angestellten noch nicht da.«
Gisbert schob die Schachtel auf. »Herein!« sagte er, und das ganze Haus ging tatsächlich hinein.
»Bring es auf einen hübschen Platz«, sagte die Schwester. »Nicht hier in der Nähe, das würde auffallen. Und jetzt muss ich fort. Ach ja, das habe ich noch vergessen: Nie mehr als ein Ding in die Schachtel! Wenn etwas drin ist, musst du es erst herauslassen, bevor du etwas anderes hineingehen lässt.« Sie nickte ihm freundlich zu und verschwand hinter einem Jasminstrauch.
»Darf ich mich noch schnell bei Ihnen bedanken?« rief

Gisbert und ging um den Strauch herum. Die Schwester war jedoch nirgends mehr zu sehen.
Auf dem Platz, auf dem das Haus gestanden hatte, war jetzt ein leerer Schacht. Gerade kamen alle Angestellten auf Rädern und Mopeds angefahren, denn es war fünf Minuten vor neun, und sie mussten an die Arbeit gehen. »Das Büro ist weg!« riefen sie. »Was für ein Segen!« Und sie fingen alle an zu hupen vor Glück.
Da habe ich also ein gutes Werk getan, dachte Gisbert und spazierte zufrieden zur Stadt hinaus. Am Flussufer fand er ein prächtiges Grundstück mit Rasen und Bäumen, und hier machte er die Schachtel auf. »Psst!« sagte er, und da stand das Haus so solide und behaglich unter den Bäumen, dass Gisbert sich sofort zu Hause fühlte.
»Ein bisschen viel Schreibmaschinen stehen ja da«, sagte Gisbert, »aber sie stören mich nicht. Ein Bett müsste ich doch wohl auch haben.«
Er ging in ein Bettengeschäft, wo an die hundert Betten in einer Reihe standen, und als die Verkäuferin gerade nicht hinsah, machte er die Schachtel auf und sagte: »Herein!« Ein schönes Bett samt Laken und Decken und allem ging in die Schachtel. »Haben Sie schon gewählt?« fragte die Verkäuferin.
»Ich komm noch mal mit meiner Frau«, sagte Gisbert und ging mit seiner Schachtel nach Hause. Jetzt konnte er also richtig wohnen und ein herrliches Leben führen. Das Essen

holte er sich vom Markt. Dann und wann brachte er sich ein Huhn mit. Und die Fische aus dem Fluss gingen willig in seine Schachtel. Das einzig Unangenehme war nur, dass er so viel hin- und herlaufen musste, denn es durfte ja immer nur ein Ding in der Schachtel sein. Immerhin hielt ihn das beweglich, und das ist ja auch etwas wert.

Eines Tages hatte Gisbert Halsschmerzen und beschloss, sich eine Schachtel Bonbons in der Drogerie zu besorgen. Als er in den Laden kam, sah er ein allerliebstes Mädchen hinter dem Ladentisch stehen. Sie war so reizend, dass er seine Halsschmerzen vergaß.

»Was hätten Sie gern?« fragte das Mädchen.

»Dich«, sagte Gisbert. »Willst du mich heiraten? Wie heißt du?«

»Ich heiße Liesje«, sagte sie, »und ich will dich ganz und gar nicht heiraten. Geh weg, sonst rufe ich meinen Vater, den Drogisten. Er ist sehr groß und schrecklich stark. Er hat Haare auf der Brust.«

Gisbert machte seine Schachtel auf und sagte: »Herein!«

Da ging Liesje hinein, und er nahm sie mit nach Hause, machte die Schachtel auf und sagte: »Psst!«

Sie kam wütend heraus und schrie: »Lass mich sofort gehen, oder ich rufe die Polizei!«

»Komm, komm, das ist aber gar nicht nett von dir«, sagte Gisbert. »Sieh doch mal, was wir für eine schöne Aussicht haben. Und es sind sieben Schreibmaschinen im Haus.«

»Das ist etwas anderes«, sagte Liesje. »Ich bin ganz versessen auf Schreibmaschinen. Darf ich auf allen tippen?«
»So viel du willst«, sagte Gisbert. »Aber erst, wenn du fertig bist mit der Hausarbeit«, fügte er hastig hinzu.
Liesje fegte den Fußboden, putzte die Schuhe, und dann setzte sie sich hin und tippte.

»Was soll ich mitbringen aus der Stadt?« fragte Gisbert.
»Eine Flasche Milch«, rief Liesje und tippte weiter.
Im Milchgeschäft machte Gisbert es wie immer. Er wartete, bis der Milchmann nicht hinguckte, schob die Schachtel auf, sagte: »Herein!«, und die Milchflasche war drin. Aber der Milchmann, der schon lange misstrauisch war, weil immer wieder eine Flasche Milch verschwand, hatte es gesehen.
»Stell sofort die Flasche Milch wieder hin«, sagte er.
»Ich hab keine Flasche Milch«, behauptete Gisbert und klopfte sich auf die leeren Taschen. »Wo sollte ich denn eine Flasche haben?«
»In deiner Streichholzschachtel«, sagte der Milchmann. »Gib die Flasche her, oder ich rufe die Polizei.«
Gisbert begriff, dass er nichts machen konnte. Er öffnete die Schachtel, sagte: »Psst!«, und die Milch stand auf dem Ladentisch.
»So!« sagte der Milchmann. »Und jetzt verrätst du mir, wie diese Streichholzschachtel funktioniert.« Aber Gisbert drehte sich um und rannte aus dem Laden. Was für ein scheußliches Pech, dachte er. Jetzt kennt der Milchmann mein Geheimnis. Wo soll ich denn künftig meine Milch holen? Sorgenvoll machte er sich auf den Heimweg und kam an einer Wiese vorbei, auf der eine schöne braune Kuh kauend zu ihm herübersah.
»Eine ganze Kuh, das ist die beste Lösung«, sagte er und

holte das Tier in seine Schachtel. Kaum war es drin, als ein Streifenwagen der Polizei neben ihm hielt und ein Polizist in barschem Ton befahl: »Mitkommen zur Polizeiwache!«

»Was hab ich denn getan?« stammelte Gisbert.

»Sie haben versucht, eine Flasche Milch zu stehlen. Wir wissen alles«, sagte der Polizist.

Der arme Gisbert musste mitgehen zur Polizeiwache, wo der Kommissar und sechs Polizeibeamte um einen Tisch herum saßen. Der Kommissar sah Gisbert streng an und fragte: »Sie sollen versucht haben, im Milchgeschäft eine Flasche Milch zu entwenden. Stimmt das?«

»Jawohl«, flüsterte Gisbert.

»Mir ist ebenfalls zu Ohren gekommen, dass Sie die betreffende Milchflasche in einer leeren Streichholzschachtel zu verbergen im Stande waren. Wie haben Sie das bewerkstelligt?« fragte der Beamte.

»So«, antwortete Gisbert. Er holte seine Schachtel heraus, schob sie auf und sagte: »Psst!« Da stand die Kuh im Polizeibüro. Es war ein riesiges Tier, und sie trat um sich und stieß mit den Hörnern nach rechts und nach links, und der Kommissar wurde samt Stuhl umgeworfen, und die Polizisten bekamen Tritte und gerieten in Panik. Gisbert machte sich die Verwirrung zu Nutze, kletterte aus dem Fenster und rannte davon. »Wenn sie nur nicht hinter mir herkommen«, keuchte er, und um nicht aufzufallen, stellte

er sich zu einer Gruppe Menschen, die auf einer Verkehrsinsel auf die Straßenbahn warteten.
Er merkte nicht, dass der Milchmann zufällig dicht neben ihm stand. Aber der Milchmann hatte ihn erkannt, und als die Leute sich zum Einsteigen drängelten, griff er flink in Gisberts Tasche, holte sich die Streichholzschachtel heraus und steckte eine gewöhnliche leere Schachtel hinein. Dann ging er fort, während Gisbert, der nichts gemerkt hatte, in die Straßenbahn stieg.
»An der nächsten Haltestelle steige ich aus«, murmelte Gisbert. »Da ist der Selbstbedienungsladen, da haben sie Dosenmilch.«
Ein ganzer Turm Dosenmilch stand in dem Selbstbedienungsladen, aber als Gisbert seine Schachtel aufmachte und »Herein!« sagte, geschah nichts. Die Dose wollte nicht hinein. Gisbert wurde nervös und versuchte es mit einer Büchse Suppe, einer Gurke, einer Verkäuferin und einer Waschmaschine. Aber es glückte nicht. Er verließ den Laden, lief ratlos herum und versuchte fortwährend, etwas in seine Dose zu zaubern, aber nicht einmal eine Fliege kriegte er hinein.
Mittlerweile hatte der Milchmann losgelegt. Er wollte auf einen Streich ein schwerreicher Mann werden. So ging er geradewegs in die Nationalbank. Dort standen in einem Seitenflügel hinter schweren Eisengittern große Säcke voll Goldstücke. Der Milchmann wusste so gut Bescheid,

weil ein Schwager von ihm bei der Bank angestellt war. So trat er vor das Gitter, starrte einen der Säcke an, machte die Schachtel auf und sagte: »Herein!« Quer durch die Gitterstäbe kam der Sack auf ihn zu und verschwand in der Schachtel.

»Recht so«, sagte der Milchmann und ging pfeifend nach Hause. Über dem Milchladen hatte er eine ruhige Stube, und hier öffnete er die Schachtel. »Hinaus!« sagte er. Aber es kam ganz und gar nichts heraus. Wenn der dumme Milchmann besser aufgepasst hätte, hätte er gehört, dass Gisbert etwas anderes gesagt hatte. Aber der Milchmann hatte eben nicht aufgepasst und blieb eigensinnig bei seinem: »Hinaus!«

Als es ganz und gar nicht gelingen wollte, klapperte er wütend mit der Schachtel und schrie: »Komm raus, zum Donner! Willst du wohl rauskommen, oder es geschieht ein Unglück!« Aber das half keineswegs. »Los! Liebling, ich bitte dich, komm raus!« jammerte der Milchmann mit Tränen in den Augen. Aber der Sack erschien einfach nicht.

In diesem Augenblick kam Gisbert, der ratlos durch die Stadt irrte, an dem Milchladen vorbei und hörte den Lärm. Er blieb stehen und verstand: »Komm raus, Sack!« Und gleich danach: »Komm raus, du Drecksack!«

»Was für unanständige Ausdrücke gebraucht denn dieser Milchmann!« murmelte Gisbert vor sich hin. »Er ist wahr-

haftig kein netter Mann!« Er wollte schon weitergehen, da durchfuhr es ihn wie ein leichter Schlag, und er blieb stocksteif stehen.
Ist es möglich, dass meine Schachtel ... dachte er, und im selben Moment schrie der Milchmann: »Da hast du es, du nichtsnutziges Ding!« Und die Streichholzschachtel kam in einem zierlichen Bogen aus dem Fenster geflogen und fiel Gisbert vor die Füße.
»Danke schön!« sagte Gisbert, hob die Schachtel auf und warf die falsche in die Gosse. Glückselig kam er nach Hause und sagte zu Liesje, die im Hausflur auf ihn wartete: »Milch habe ich noch nicht. Aber die Abenteuer, die ich erlebt habe!«
»Gleich wirst du noch mehr erleben«, sagte Liesje. »Mein Vater sitzt im Zimmer.«
»Dein Vater?« fragte Gisbert. »Ach ja, dein Vater, der Drogist. Was will er denn?«
»Er will dich totschlagen«, sagte Liesje. »Er ist rasend vor Wut, weil du mich entführt hast. Er hat eine große Flasche Hustensaft mitgebracht.«
»Aber ich habe doch keinen Husten«, sagte Gisbert.
»Es ist die größte Flasche, die er im Laden hat«, sagte Liesje, »und er findet sie besonders geeignet, um jemand den Schädel damit einzuschlagen.«
»Ach du liebe Zeit, das kann doch nicht wahr sein!« rief Gisbert. »Da geh ich lieber noch ein bisschen spazieren.«

MILCH
KÄSE

Aber noch bevor er sich umgedreht hatte, wurde die Zimmertür aufgerissen, und der Drogist stürzte mit einer großen grünen Flasche in der Hand auf Gisbert los. Er packte ihn am Kragen und schrie, feuerrot vor Wut: »Jetzt kommst du an die Reihe, du Früchtchen!«
»Gnade, lieber Herr Drogist«, flehte Gisbert und versuchte sich loszumachen.
Der Drogist hob die Flasche, um sie auf Gisberts Kopf niedersausen zu lassen. Gisbert hatte gerade noch Zeit, die Schachtel aus der Tasche zu holen und mit einer Hand aufzuschieben.
»Herein!« sagte er.
Augenblicklich verschwand der Drogist in der Schachtel. Aber, o weh, es war schon etwas darin. Der Sack mit Goldstücken. Und zwei Dinge zugleich, das durfte nicht sein. Die Schachtel begann sofort, sich in Gisberts Hand zu drehen und zu winden. Er ließ sie fallen, und sie sprang auf dem Boden herum. Es herrschte ein ungeheurer Lärm in der Schachtel, als ob zwei Löwen miteinander kämpften, das Holz krachte, und der Deckel bog sich. Gisbert sah erschrocken zu, und – knacks! – da lag nur noch ein Häuflein kleiner Späne. Daneben saß der Drogist auf der Erde, die Stirn voll blauer Beulen, und vor ihm stand ein Sack.
»Was – was ist denn mit mir passiert?« stöhnte der Drogist.

»Ich habe das Gefühl, als ob ich durch eine Betonmaschine gedreht worden wäre. Au – mein Kopf!«
Gisbert machte den Sack auf und sah die Goldstücke. »Der ganze Sack gehört Ihnen, wenn ich Ihre Tochter heiraten darf«, sagte er. Unverzüglich vergaß der Drogist seine Beulen.
»Hast du das auch ehrlich erworben?« fragte er.
»Ganz ehrlich«, sagte Gisbert. »Ich hab es nicht gestohlen.«
»Je nun«, sagte der Drogist, »wenn meine Tochter dich haben will, so soll es mir recht sein. Willst du ihn haben, Lies?«
»Gern«, sagte Liesje. »Ich liebe ihn.«
»Auch wenn meine Streichholzschachtel kaputt ist?« fragte Gisbert.
»Natürlich«, sagte Liesje. »Du kannst ja wohl arbeiten, du Faulpelz!«
Sie aßen alle drei zusammen in der Stadt. Der Drogist bezahlte. Am folgenden Tag trat Gisbert eine Stelle an. Als Straßenbahnschaffner. Diesen Beruf hatte er schon immer schön gefunden. Liesje verdiente noch etwas dazu mit Tippen.

Der Riese und der Drache

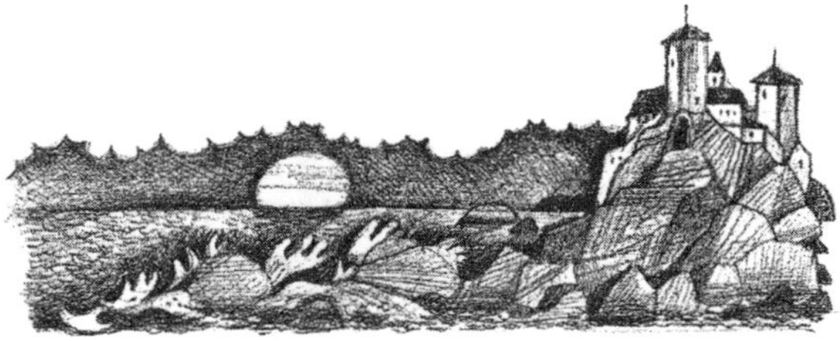

»Auch das noch«, sagte der König, als seine Tochter von einem Riesen geraubt worden war. »Heute geht aber auch alles schief. Wo steckt sie denn?« fragte er den Kurier, der die entsetzliche Nachricht gebracht hatte.
»Auf dem Borstelberg am Meer«, sagte der Kurier. »Dort oben steht die Burg des Riesen. Die Prinzessin sitzt in einem Turm und wird von einem Drachen bewacht.«
»Na also«, rief der König, »nur immer so weiter. Ein Riese und ein Drache. Das hat uns gerade noch gefehlt! Das arme Kind. Sie war zwar recht lästig und ungezogen in der letzten Zeit, aber das ist nun doch zu viel. Was machen wir denn nun? Mein Leibarzt soll kommen.«
»Hast du es gehört?« fragte der König den Leibarzt. »Meine Tochter ist von einem Riesen geraubt worden und wird von einem Drachen bewacht. Sag mir, was ich tun soll!«
»Tja«, sagte der Leibarzt, »dafür bin ich nicht zuständig. Ich bin nur ein einfacher Heilkundiger und ...«
»Unsinn«, sagte der König. »Du hast sie geheilt, als sie die Masern hatte. Jetzt denk dir wieder etwas Gescheites aus!«

»Meistens«, sagte der Leibarzt, »meistens verspricht der König demjenigen eine Belohnung, der den Drachen erschlägt. Das hilft enorm. Die Prinzen kommen in Scharen angerannt, und meistens ist einer dabei, der es kann.«

»Gut, dann machen wir es so«, sagte der König erleichtert. »Der Prinz, der mir meine Tochter heil nach Hause bringt, soll sie haben.«

»Samt der Hälfte des Königreiches«, sagte der Leibarzt.

»Das werden wir dann ja sehen«, sagte der König. »Nur nichts überstürzen.«

Noch am selben Tag wurde die Bekanntmachung ausgerufen, und am Abend stand schon ein Prinz auf der Schwelle, der es versuchen wollte.

»Bist du nicht ein bisschen zu elegant angezogen für die Gelegenheit?« fragte der König. »Willst du einen Drachen mit weißen Handschuhen erschlagen?«

»Ich zieh sie im kritischen Augenblick aus«, sagte der Prinz errötend. Er sah prachtvoll aus in seinem blauen Samtmantel, seiner weißen Weste, seiner Hose mit Bändern; und sein Haar lag in Dauerwellen.

»Da bin ich wirklich neugierig«, sagte der König, als er den gezierten Jüngling davonreiten sah. »Ich hoffe, es glückt ihm nicht. Er ist mir zu niedlich.«

Einen Tag später war der Prinz wieder da. Er war kohlschwarz, voller Schrammen und hatte nur noch blaue Fetzen an. Der Riese hatte ihn vom Borstelberg hinuntergeblasen, berichtete der Prinz, und so war er holterdiepolter den ganzen Berg durch das Dickicht gerollt bis unten hin.

»Schade, da kann man nichts machen«, sagte der König. »Der Nächste, bitte!«

Der nächste Prinz kam im Harnisch. Das ließ das Beste hoffen, aber er kam völlig zerbeult zurück, denn der Riese hatte ihn fast zerquetscht und ihn dann in den Abgrund geworfen. Nachdem die Rüstung des Prinzen wieder ausgebessert worden war, wollte er es lieber nicht noch einmal wagen.

»Wer kommt jetzt?« fragte der König. »Was? Ist keiner mehr da?«

»Kein Prinz mehr«, sagte der Leibarzt. »Kein einziger Prinz will es mehr wagen. Aber hier ist ein armer Junge, der sich traut. Er heißt Georg.«

»Georg ist ein guter Name, wenn es um Drachen geht«, sagte der König. »Komm mal her, Georg! Hast du ein Schwert?«

»Nein, Sire«, sagte der Junge.

»Aber eine Lanze?«

»Nein, Sire.«

»Was hast du denn?«

Georg drehte seine Taschen um und sagte: »Ein Stück grüne Kreide. Damit habe ich gerade gespielt. Mehr hab ich nicht.«

»Soll ich dir eine vollständige Waffenausrüstung geben?« fragte der König.

»Ach nein«, sagte Georg. »Das ist nicht nötig. Ich kann nicht gut mit Schwertern und Lanzen umgehen.«

»Das will mir nicht in den Kopf«, sagte der König. »Aber du musst es ja selbst wissen. Mach's gut, Georg.«

So stieg der Junge ganz allein den Borstelberg hinauf. Es war eine mühsame Kletterpartie zwischen lauter Dornengestrüpp, aber nach ein paar Stunden stand er oben und direkt vor den Beinen des Riesen, der gerade im Garten jätete. »Aha«, sagte der Riese und ergriff ihn zwischen Daumen und Zeigefinger. »Da haben wir Nummer drei. Willst du etwa die Prinzessin befreien, du trauriger Wicht?«

»Ganz und gar nicht«, sagte Georg. »Ich habe mich nur verirrt, ich weiß nichts von einer Prinzessin.«

»Ach nein?« fragte der Riese, setzte sich hin und hob Georg auf sein Knie, hielt ihn aber immer noch fest. »Dort sitzt die Prinzessin, dort am Fenster im Turm. Und siehst du auch den Drachen?«

»Ja, den sehe ich«, sagte Georg. »Würden Sie mich bitte nicht so fest kneifen? Ich kann nicht gut sprechen, wenn mich jemand zwischen den Fingern plattdrückt.«

»Haha«, lachte der Riese und lockerte seinen Griff ein wenig. »Was soll ich denn mit dir machen? Ich könnte dich den Berg hinunterwerfen, aber das macht eigentlich keinen Spaß.«

»Überhaupt keinen Spaß!« sagte Georg.
»Ich könnte dich heute Abend im Sauerkraut mitkochen«, sagte der Riese. »Warte, hier ist ein alter Vogelkäfig, da setz ich dich solange hinein.« Er steckte Georg in den Käfig und schwenkte ihn sachte hin und her. Dann brüllte er wieder vor Lachen.
Georg lachte herzlich mit und rief: »Sie können aber lachen! Da haben die Leute also nur einen Scherz gemacht. Es ist also gar nicht wahr, was man von Ihnen sagt.«
»Wer?« fragte der Riese.
»Die Leute unten«, sagte Georg. »Die behaupten schon lange, Sie seien krank.«

»Ich krank?« sagte der Riese. »Das ist nicht wahr, das siehst du ja selbst.«

»Ja, das sehe ich«, sagte Georg. »Die Dummköpfe glauben, Sie hätten schon angefangen, grün zu werden.«

»Grün?« fragte der Riese. »Wieso grün?«

»Na ja, von der Qualmkrankheit natürlich«, sagte Georg. »Das weiß doch jeder, dass Drachenausdünstungen schrecklich ungesund sind. Man bekommt die Qualmkrankheit davon. Zuerst zeigen sich grüne Flecken, das ist doch ganz selbstverständlich. Aber bei Ihnen ist noch nichts zu sehen.« Unterdessen starrte Georg mit gerunzelten Brauen auf die nackten Knie des Riesen.

Der Riese folgte seinem Blick. Auf seinem Knie waren eine ganze Menge grüne Tupfen. Er versuchte, sie mit dem Ärmel wegzuwischen, aber das half nichts. Diese Kreide musste eine ganz besonders gute Sorte sein, und Georg hatte die Tupfen ordentlich fest aufgemalt, ohne dass der Riese es gemerkt hatte.

»W-w-was ist d-d-das?« stotterte der Riese. »Grüne Flecken? Es fängt also schon an?«

»Es ist noch nicht schlimm«, sagte Georg beruhigend. »Sie haben sicher noch ein paar Monate zu leben. Wenn der Drache nicht da wäre, könnte es auch noch ein halbes Jahr dauern. Aber das arme Tier kann ja nichts dafür, dass sein Atem giftig ist. Sie können schließlich nicht Ihren eigenen Drachen totstechen.«

»Und ob ich das kann!« brüllte der Riese. »Das werde ich dir zeigen! Glaubst du, ich ließe mich von so einem Ungeheuer vergiften?«
Er raste in die Burg, kam mit einem gewaltigen Speer wieder heraus und stürmte auf den Drachen los. Georg saß in seinem Käfig und sah sich das prachtvollste Schauspiel, das man sich denken kann, durch die Gitterstäbe an.
Der Drache schnaubte und blies und stieß feurige gelbe Dampfwolken aus, und aus seinem gewaltigen Rachen schlugen Flammen. Er ringelte den grünen Schuppenkörper, schlug peitschend mit dem Schwanz um sich und knirschte mit den Drachenzähnen, während der Riese um ihn herumtanzte und ihn zu treffen versuchte.
»Hurra! Feste drauf! Holland voran!« schrie Georg in seinem Käfig. Es passte nicht recht, aber es fiel ihm nichts anderes ein.
Endlich stellte sich der Riese in einigem Abstand auf und kam von dort mit seinem Speer angerannt. Es war schrecklich anzusehen, der Drache drehte und wendete sich geschmeidig, aber der Speer traf ihn mitten ins Herz, und da lag das blutende Untier und ließ die Zunge aus dem Rachen hängen. Mausetot.
»Na, und?« sagte der Riese daraufhin keuchend. »Hast du das gesehen?«
»Bravo!« jubelte Georg und klatschte in die Hände. »Was sind Sie für ein großer Held! Jetzt, wo der Drache tot ist,

werden Sie bestimmt noch sechs Monate zu leben haben. Reichlich. Vielleicht sogar sieben.«
»Länger nicht?« klagte der Riese, sank betrübt auf einen Stuhl und stützte den Kopf in die Hände. »Ich will noch hundert Jahre leben.«
»Das will jeder«, sagte Georg. »Leider ist die Qualmkrankheit nun einmal tödlich. Und kein Mensch kann das weiße Drachenkraut holen, selbst ein Riese nicht.«
»Wie? Was? Weißes Drachenkraut? Was ist denn das nun wieder?«
»Dort wächst es«, sagte Georg und zeigte nach der Seite, wo die Felsen steil zum Meer abfielen. »Wenn Sie mich loslassen, will ich gern einmal für Sie danach suchen.«
»Loslassen, was?« rief der Riese wütend. »Mir machst du nichts vor, Freundchen! Dann läufst du mir davon, und ich kann in sieben Monaten sterben. Ich weiß etwas Besseres: Ich nehme dich in die Hand, und du zeigst mir das weiße Drachenkraut.«
Er holte Georg aus dem Käfig und trat auf die höchste Spitze der steilen Felsen. »Wenn ich abstürze, stürzt du auch«, sagte er grinsend.
»Sie müssen sich dort auf die Klippe stellen«, sagte Georg. Der Riese gehorchte. »Sehen Sie die kleinen weißen Blumen zwischen den beiden Steinen? Das ist es.«
Der Riese bückte sich und streckte die Hand aus, aber er konnte die Blumen nicht erreichen. »Versuchen Sie es

lieber mit dem anderen Arm«, sagte Georg. »Mit der Hand, in der ich sitze. Dann kann ich für Sie danach greifen.«
Der Riese gehorchte.
»Gut so«, rief Georg. »Noch ein kleines bisschen weiter, noch ein ganz kleines bisschen. Immer los!«
»So?« keuchte der Riese, der nun sehr weit vornüber hing.
»Ja!« schrie Georg und biss ihn in den Daumen.
»Au!« brüllte der Riese. Vor Schreck ließ er den Jungen fallen, der in einem Strauch landete. Der Riese aber verlor das Gleichgewicht und stürzte mit einem großen Platsch von den steilen Felsen ins Meer. Das Wasser spritzte hundert Meter hoch, und der Riese ertrank.
»Das hätten wir«, sagte Georg und kletterte ganz gemütlich wieder hinauf. Er hatte nur ein paar blaue Flecken davongetragen und ging gelassen in den Turm, um die Prinzessin zu holen.
»Kein Prinz?« sagte die Prinzessin verblüfft. »Nicht einmal ein Ritter?«
»Wenn du noch mehr einzuwenden hast«, sagte Georg, »lass ich dich hier sitzen, und du kannst sehen, wie du nach Hause kommst.«
»Nein, nein«, rief die Prinzessin hastig. »Nimm mich doch bitte mit.«
Georg nahm sie über die Schulter und stieg den Berg hinunter.

»Wer kommt denn da?« rief der König strahlend, als sie ankamen. »Meine liebe Tochter. Jetzt musst du ihn heiraten, das ist dir hoffentlich klar?«
»Ich will ihn ja«, sagte die Prinzessin.
Am folgenden Tag wurde schon die Hochzeit gefeiert, und es gab ein so großes Feuerwerk, dass die Leute heute noch davon sprechen.

Eberhard der Empfindsame

»Nun, da uns ein Sohn geboren ist«, sagte die Königin, »wollen wir ein großes Tauffest veranstalten.«
»Sehr schön, meine Liebe«, sagte der König. »Wenn du nur Tante Una weglässt.«
»Warum?« fragte die Königin.
»Tante Una wird sehr wütend sein, wenn wir ihr keine Einladung schicken. Und vergiss nicht, dass sie zaubern kann.«
»Gerade davor habe ich Angst«, seufzte der König. »Wenn sie nun einen Wunsch an der Wiege ausspricht! Und es könnte ja ein schlimmer Wunsch sein!«
»Komm, komm«, sagte die Königin, »Tante Una hat uns gern. Sie wird unserem Kind nur Gutes wünschen.«
Das Tauffest wurde im Park veranstaltet. Alle Springbrunnen sprudelten Rosenwasser, und sechstausend Glühlampen brannten zwischen dem Jasmin. Herzoginnen und Fürsten mit goldenen Kronen drängten sich um die Wiege und streichelten dem Baby den Kopf. Zuletzt kam Tante Una.

Sie war eine eindrucksvolle Frau, groß und dick, ganz in Lila gekleidet, und hatte einen Turm von roten Haaren auf dem Kopf. Sie schaute in die Wiege und sagte: »Was für ein reizendes Kind! Kann ich etwas für euch tun und euch einen Wunsch erfüllen? Was hättet ihr denn gern?«
Es wurde mäuschenstill im Park. Alle Gäste hielten den Atem an und warteten voller Spannung, was der Vater und die Mutter wünschen würden.
Der König räusperte sich und sagte langsam: »Ich möchte gern, dass der Prinz sehr stark wird und sehr mutig. Und sehr reich«, setzte er noch schnell hinzu.
Die Königin sah sich nach all ihren hohen Gästen um und sagte: »Warte noch, Tante Una, damit bin ich nämlich gar nicht einverstanden. Wir möchten viel lieber, dass unser Kind ein gutes Herz bekommt. Nicht wahr, mein lieber Mann?«
»Hm«, brummte der König. Auch er guckte sich um, und als er sah, dass alle begeistert nickten, sagte er: »Ja, in der Tat, natürlich, ja, gewiss.«
»Und darum ...« sprach die Königin mit gerührter Stimme, »darum, liebe Tante Una, mach meinen Sohn zu einem guten Menschen. So gut, dass er mehr an andere denkt als an sich selbst. So mitleidig, dass er trauert, wenn ein anderer trauert, sei es Mensch oder Tier.«
Ein Murmeln der Bewunderung lief durch den Kreis der Gäste. Was für ein herrlicher Wunsch!

Tante Una pflückte einen Jasminzweig ab und schwenkte ihn über dem kleinen Kopf des Prinzen. »Prinz Eberhard sollst du heißen«, sagte sie. »Und du sollst so werden, wie deine Mutter dich haben möchte. Eberhard der Empfindsame.«

Tante Una tanzte eine Polka mit dem König; aus den Springbrunnen sprudelte jetzt Champagner, bis auf zwei, die Coca-Cola lieferten, und es wurde ein rauschendes Fest. Zum Schluss durften die Gäste den Nashorngarten besichtigen, einen Park, in dem Hunderte von Nashörnern hinter Gittern herumliefen. Damit waren die Festlichkeiten zu Ende.

Man merkte sehr bald, dass Tante Unas Wunsch in Erfüllung gegangen war. Als der Prinz heranwuchs, zeigte sich mehr und mehr, dass er ein besonders artiges Kind war. Er verschenkte all sein Spielzeug, sodass nie etwas für ihn selbst übrig blieb. Immer wieder bekam er neue Schaukelpferde, neue Rollschuhe, neue Eisenbahnen, aber noch bevor er damit gespielt hatte, sagte er: »Wollen wir es nicht Pietje, dem Köhlerjungen, schenken?«

»Aber Kind, willst du denn nicht erst selbst ein bisschen damit spielen?«

»Nein«, sagte der Prinz. »Für mich brauche ich nichts.«

»Ich finde es unnatürlich«, sagte der König zu seiner Frau.

»Im Gegenteil, es ist herrlich«, sagte die Königin. »Mein geliebter, gütiger Eberhard!«

Allerdings war es schade, dass Eberhard so viel weinte. Manchmal schluchzte er stundenlang, und wenn die Hofdamen fragten: »Was fehlt Ihnen denn, Durchlaucht?«, antwortete der Prinz: »Ich muss weinen, weil die Schneidersfrau einen Leistenbruch hat.« Oder er sagte: »Ich weine, weil es arme Kinder gibt, die noch nie Krebse gegessen haben.« Oder er sagte: »Wie schrecklich, dass es überhaupt arme Menschen gibt.«
So wurde beschlossen, alle armen, kranken und alten Menschen so weit wie möglich von dem Prinzen zu entfernen. Sie wurden an das äußerste Ende des Königreiches gebracht, und da hockten sie nun auf einem Haufen zusammen. Der Prinz sah nichts von ihrem Elend, und man hatte seine Ruhe. Aber ach, er fand trotzdem immer wieder etwas, worüber er weinen musste. Er weinte, weil der Kammerherr einen Bandwurm hatte. Und als der Arzt kam, um den Kammerherrn zu heilen, weinte der Prinz, weil der arme Bandwurm dabei draufging. Fortan war es bei Hofe streng verboten, zu klagen oder ein trauriges Gesicht zu machen. Man hatte die Pflicht, glücklich zu sein und immer zu tänzeln. Und das ging nicht immer gut. Eines Tages traf Eberhard den Koch in einem der Gänge.
»Was hast du?« fragte der Prinz. »Du machst so ein langes Gesicht?«
»Ich hab nichts«, sagte der Koch hastig und machte drei muntere Tanzschritte. »Ich bin sehr glücklich, haha!«

»Das ist nicht wahr«, sagte der Prinz. »Du hast doch etwas. Sag mir sofort, was es ist!«
»Ach«, seufzte der Koch. »Ich bin ein bisschen traurig, weil meine Tochter so hässlich ist.«
»Hässlich? Wieso hässlich?«
»Stupsnase«, sagte der Koch. »Karottenhaar und *solche* Füße ...« Er zeigte, wie groß. »Sie bekommt nie einen Mann, keiner nimmt so ein hässliches Mädchen. Sie heißt Isabel.«
»Bring sie sofort her«, sagte Eberhard. »*Ich* heirate sie.«
Der Koch wagte nicht, sich zu widersetzen, und holte seine Tochter.
Hässlich war sie wirklich mit ihrer Stupsnase, ihrem Karottenhaar und den großen Füßen, aber der Prinz heiratete sie am nächsten Morgen. Das war für den alten König und die Königin ein harter Schlag. Sie konnten ihn nicht verwinden, siechten dahin und starben zusammen an ein und demselben Tag.
Und jetzt war Eberhard der Empfindsame also selber König. Er saß auf seinem Thron, und Königin Isabel saß neben ihm. Immerhin muss man zugeben: Sie war wohl hässlich, aber auch nett und verständig, und sie merkte sehr bald, dass ihr Mann ein etwas sonderbarer König war.
Zunächst einmal machte er eine Reise in seiner Kutsche, und als er zurückkam, war sein Hermelinmantel ganz durchweicht von Tränen.

»Was hast du denn? Warum weinst du denn so?« fragte die Königin.
»Oh«, sagte der König. »Was für ein Elend überall! Ich habe am äußersten Ende unseres Landes alle alten, kranken und armen Menschen auf einem Haufen sitzen sehen.«
»Und was hast du für sie getan?« fragte die Königin.
»Nichts«, sagte König Eberhard. »Ich musste so schrecklich weinen, ich konnte nichts tun.«
»Von deinen Tränen haben sie nichts«, sagte Königin Isabel. »Wäre es nicht besser gewesen, du hättest ihnen auf andere Weise geholfen?«
»Oh, ich habe eine Menge Gutes getan«, sagte der König. »Unterwegs bin ich an einem Gefängnis vorbeigekommen, wo alle Diebe eingesperrt waren. Die armen Kerle. Ich habe sie freigelassen.«
»Was? Laufen jetzt alle Diebe frei herum?« fragte Isabel erschrocken.
»Natürlich, die armen Schlucker«, sagte der König. »Und weißt du, was ich noch getan habe? Die Nashörner freigelassen. Sie waren hinter Gittern!«
»Die Nashörner? Aber die sind doch gefährlich!« rief die Königin. »Was bist du nur für ein König? Ein Waschlappen von einem König bist du!«
Eberhard sah sie traurig an und sagte: »Ich bin nicht mehr lange König. Der Fürst des Nachbarlandes steht mit einem großen Heer an der Grenze und will uns erobern.«

»Und was gedenkst du dagegen zu tun?« fragte Königin Isabel. »Nichts«, sagte der König. »Ganz und gar nichts.« In diesem Augenblick trat der Erste Minister zitternd vor Aufregung vor den König und sagte: »Sire, der Zustand ist unhaltbar. Ihre Untertanen flüchten auf die Bäume, denn überall laufen Nashörner herum. Und die Diebe sind gerade dabei, die Bank auszurauben. Ihr Volk ist tief unglücklich.«

»Oh, wirklich?« fragte der König mit zitternder Stimme, und wieder liefen ihm die Tränen übers Gesicht. Da verlor die Königin die Geduld. Sie ergriff einen silbernen Leuchter und schlug ihn damit kräftig auf den Kopf. »So!« sagte sie. »Und was tust du jetzt?«

Eberhard sah sie traurig an und sagte: »Nichts, mein Liebling.«

Sprachlos vor Zorn drehte sich die Königin um, verließ wütend den Palast und rannte zu Tante Una, die oben auf dem Berg wohnte. Unterwegs sah sie die vorbeirasenden Nashörner, und sie sah auch Gruppen von schleichenden Dieben, aber sie war zu empört, um vor irgendetwas Angst zu haben. Keuchend kam sie bei Tante Una an, die ihr freundlich zunickte.

»Ich habe dich schon erwartet, liebes Kind«, sagte Tante Una. »Du willst sicher um etwas bitten. Möchtest du vielleicht ein bisschen schöner werden?«

»Das hat keine Eile«, sagte Königin Isabel. »Es handelt sich um etwas viel Wichtigeres. Könnten Sie nicht meinen Mann ein kleines bisschen schlechter machen?«

»Er ist wohl zu gut?« fragte Tante Una.

»Viel zu gut.«

»Geh nur nach Hause«, sagte Tante Una. »Es ist schon passiert.«

Die Königin lief in den Palast zurück, so schnell ihre großen Füße sie tragen konnten. Und als sie eintrat, sah sie ihren Gemahl, der mit einem dicken Stock in der Hand seinen Ersten Minister heftig ausschimpfte.

»Was ist denn das für eine Wirtschaft hier?« rief er. »Wilde Nashörner in der Stadt! Allerlei Gesindel auf den Straßen! Was soll das? Sperren Sie augenblicklich alle wieder ein! Und was höre ich, der Feind steht an der Grenze? Sollten Sie nicht etwas dagegen tun, Sie Faulpelz?«

»O Eberhard«, sagte die Königin und trat näher, »wie hast du dich verändert!«

Er drehte sich um und erblickte seine Frau. »Du«, schrie der König, weiß vor Zorn, »du hast mich geschlagen, mit einem Leuchter. Was unterstehst du dich!«

Königin Isabel strahlte. Sie wurde plötzlich schön vor Glück. »Du wirst ja wütend!« rief sie entzückt.

Der ganze Hof kam zusammengelaufen, um den Wutanfall des Königs mit anzusehen, und alle waren glücklich.

Von diesem Augenblick an hieß der König nicht mehr Eberhard der Empfindsame, sondern Eberhard der Entschlossene. Gut war er immer noch, aber er hatte keine Zeit mehr zu weinen, und er war genau schlecht genug, um ein bisschen verständig zu sein. Ein einziger Kanonenschuss in die Luft genügte, um den Feind zu verjagen.

Die Kranken wurden geheilt, die Armen wurden eine Spur reicher gemacht. Allerdings: Alte Menschen wieder jung machen, das konnte auch der König nicht. Aber das war auch nicht nötig, sie saßen ganz behaglich auf den Bänken im Park und sahen den Nashörnern zu, die hinter festen Gittern gehalten wurden.

»Soll ich Tante Una bitten, dass sie mich ein bisschen schöner macht?« fragte die Königin manchmal.

»Ach, lass nur«, sagte der König. »Ich liebe dich so, wie du bist.« Das war ein gutes Wort. Und darum lebten sie noch lange und glücklich miteinander.

Die himmlische Trompete

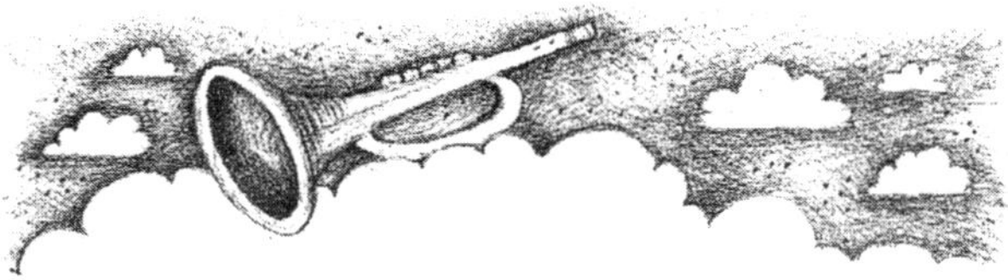

Es ist noch gar nicht so lange her, da saßen einmal sechs kleine Engel im Keller des Himmels und spielten auf ihren Musikinstrumenten. Ob es im Himmel einen Keller gibt? Natürlich gibt es im Himmel einen Keller. Dort wird der Wein aufbewahrt, und im Herbst duften die Äpfel auf den Regalen.

Die sechs kleinen Engel hatten sich in den Keller gesetzt, weil die Musik dort unter den Bogengewölben ganz besonders schön klang. Einer spielte Violine und einer spielte Bassgeige. Eine Klarinette war dabei und eine winzig kleine Pauke. Und der kleinste Engel, der kleinste und der liebste Engel, blies Trompete. Die Trompete übertönte alles, sie hatte den herrlichsten Ton, gellend und doch lieblich und weich und rund. Sie jubelte wie eine Lerche mit Verstärker – es war kaum zu glauben.

Während sie so spielten, kam der alte Gärtnerengel am Kellerfenster vorbei und lehnte sich an die Gitterstäbe, um zuzuhören. Er blieb stehen, bis das Stück zu Ende war. Dann klatschte er in die Hände und rief: »Bravo!«

Das hätte er lieber nicht tun sollen. Der kleinste (und liebste) Engel erschrak dermaßen über die unerwartete Stimme, dass er seine Trompete fallen ließ. Sie rollte über den Fußboden, rollte und rollte ...

»Meine Trompete!« rief der kleine Engel und griff danach, aber es war zu spät. Bevor jemand sie fassen konnte, verschwand sie zwischen den Stäben eines Rostes im Kellerboden.

Unter diesem Boden waren die Wolken. Die Trompete fiel und fiel und fiel durch alle Wolken hindurch, bis sie auf die Erde kam. Sie landete in einem Stadtpark neben dem Teich, auf dem ein paar Jungen gerade Schiffchen schwimmen ließen. Die Schiffchen schwammen, und die Jungen hörten unterdessen auf die Musik aus einem winzig kleinen Radioapparat, der neben ihnen im Gras stand. Einer der Jungen sah die Trompete fallen. Zuerst dachte er, es könnte die Spitze einer Mondrakete sein, denn das denken ja wohl Jungen, wenn sie etwas vom Himmel fallen sehen. Aber als sie ihm vor die Füße plumpste, hob er sie auf. »Was für eine schöne Trompete!« sagte der Junge. Er blies hinein. Und sofort kam ein hoher Ton heraus, gellend und doch lieblich, weich und rund und unbeschreiblich herrlich.

Ehe er sich's versah, spielte er ein Lied, und er war so froh über die Trompete, dass er immer weiterspielen musste. Die anderen Kinder stellten sich um ihn herum, um zuzu-

hören. Eins nach dem anderen lief nach Hause und holte eine Flöte oder eine Mundharmonika oder ein kleines Schlagzeug.
Noch im Laufe des Morgens hatten sie ein recht nettes Orchester zusammen dort am Teich, und sie spielten so hinreißend, dass alle Vorübergehenden stehen blieben und in die Hände klatschten.

Und der Engel, der kleinste und liebste Engel, der seine Trompete durch den Kellerrost hatte verschwinden sehen, was machte der? Der war verzweifelt, er flatterte und flatterte und ließ sich nicht trösten, nein, nein, er wollte sich nicht trösten lassen – von niemand. Mit den kleinen Flügeln flatterte er durch alle Gärten des Himmels, bis er ein Loch in der Himmelshecke fand. Er kroch hindurch und flog in den Weltraum hinaus und auf die Erde zu. Es war ein langer Flug, und der Engel fühlte sich einsam und verlassen zwischen den großen grauen Wolken, die an ihm vorbeisegelten. Es stürmte, und er machte die Augen zu und ließ sich mit zusammengeklappten Flügeln fallen – fallen – fallen, denn der Wind tat ihm weh.
Als er die Augen wieder aufschlug, sah er unter sich die Erde. Er sah die weißen Schneeberge, die brausenden Ströme und die braunen Äcker. Er sah die Häuser und die Eisenbahnen, und dicht neben sich sah er plötzlich ein großes Flugzeug, vor dem er entsetzlich erschrak. (Die Menschen

in dem Flugzeug sahen ihn auch und erschraken noch viel mehr.) Es war ein bisschen viel auf einmal für den Engel, und er breitete hastig die Flügel aus, um nicht allzu schnell abzustürzen. Das tat er gerade noch zur rechten Zeit, und er landete sanft und federleicht. Da saß er nun, rieb sich die Augen und ließ sich fahren. Jawohl, er ließ sich fahren. Er fand sich auf einem geschmückten Wagen in einem Blumenkorso. Auf einem Schwan aus weißen Nelken. Das war wirklich ein glücklicher Zufall. Der Engel saß weich, und niemand fand es sonderbar, dass er da saß. Alle Leute am Straßenrand betrachteten ihn und fanden es ganz richtig, dass ein Engelchen zwischen den Blumen saß und mitfuhr. »Aaah«, riefen die Menschen voller Bewunderung, »was für ein goldiges Engelchen! – Es sieht wahrhaftig wie ein richtiger Engel aus. – Wem gehört denn das Kind? – Wie hübsch es als Engelchen verkleidet ist! – Schaut es euch doch an! Aaaah!«
Es war ein schöner Zug. Vor dem Engel fuhr Dornröschen und hinter ihm ein Drache aus Dahlien. Überall am Weg herrschten Tumult und Gedränge, und der kleine Engel dachte ein bisschen verängstigt: Wie soll ich denn nur meine Trompete finden unter all den Menschen!
Als die Rundfahrt zu Ende war, hatte der weiße Schwan den ersten Preis gewonnen. Das Engelchen hatte den Ausschlag gegeben, und der Jubel der Menschen war ungeheuerlich. Alle drängten sich um den Wagen, und dem

Engelchen wurde angst und bange. Das will ich nicht, das will ich nicht, dachte es, breitete die Flügel aus und flog weg von dem Wagen und direkt hinein in ein offenes Fenster an der Straße.

In dem Haus wohnte eine alte Frau, die nicht mehr gut sehen konnte. Sie sah etwas durchs Fenster flattern, hörte Flügelrauschen und ärgerte sich.
»Mia«, rief sie in die Küche, »Mia, es ist schon wieder eine Möwe im Zimmer.«
Mia kam aus der Küche und fragte: »Wo denn?«
Der Engel hatte sich schnell hinter dem Fernsehapparat versteckt und verhielt sich mäuschenstill.
»Es war eine Möwe«, sagte die alte Dame hochnäsig. »Wo ist sie denn nun? Schau, da fliegt sie ja!«
Der kleine Engel flog in großer Angst durch das Hinterfenster hinaus, und das Mädchen lief mit dem Besen hinter ihm her. Aber das Engelchen hatte sich wieder versteckt, diesmal unter den Rhododendronsträuchern, und da blieb es sitzen, bis es dämmerte.
Im Halbdunkel flatterte es vorsichtig von einem Garten in den anderen, über Jasmin und durch duftende Rosenhecken, bis es in den stillen Park gelangte. Dort stand eine große moderne Plastik. Der Engel konnte nicht recht erkennen, was sie darstellen sollte, aber irgendwo darin war eine Art Vertiefung, in die er gerade hineinpasste. Todmüde und unbeschreiblich traurig faltete er die Flügel zusammen und schlief ein. Früh am Morgen wurde er davon wach, dass zwei Spaziergänger stehen blieben und über ihn sprachen.
»Eine schöne Plastik«, sagte der eine.

»Ja, aber das Engelchen ist Kitsch«, sagte der andere. Dann entfernten sich die Stimmen, und der kleine Engel guckte hinaus. Er war ein bisschen beleidigt, dass sie ihn kitschig fanden, aber bald vergaß er seinen Ärger, denn die Sonne schien, die Blumen auf den Beeten blühten blau und rosa, und tausend Bienen summten zugleich.

Es war ein herrlicher Morgen. Der Engel hörte einen Vogel singen. Er sah Wasser aus einem Springbrunnen sprühen, er hörte noch mehr Vögel, und dann hörte er – hörte – einen hohen Ton, gellend und doch lieblich und weich und rund. »Meine Trompete«, flüsterte der kleine Engel, »meine liebe Trompete.« Ohne Zögern flog er auf die Töne zu.

Hinter einem Baum entdeckte er einen Jungen, der ernsthaft auf der Trompete blies. Der Engel setzte sich auf den Baum und spähte durch die Zweige.

»Psst ...« flüsterte der Engel.

Der Junge guckte hinauf.

»Hallo«, sagte er.

»Die Trompete, die du da hast«, sagte der Engel, »das ist *meine* Trompete.«

»Ja, wirklich?« sagte der Junge enttäuscht. Er war wohl ein bisschen erstaunt, dicht über sich einen kleinen Engel zu sehen, einen echten Engel mit Federflügeln, aber gerade dieser Junge war daran gewöhnt, Erstaunliches zu erleben. Ganze Tage lang staunte er über alles, was er sah und hörte und roch und berührte, und deshalb war

sein Erstaunen jetzt nicht größer als bei anderen Gelegenheiten.
»So«, sagte er, »das ist also deine Trompete. Ich hab mir schon gedacht, dass heute oder morgen der Besitzer kommen würde, um sie abzuholen. Schon lange hab ich das gedacht.« Der Junge sah so traurig, so verzweifelt aus, als er das sagte, dass der Engel Mitleid bekam.
»Ich brauche sie sehr nötig, weißt du«, sagte er zögernd. Aber nachdem er dem Jungen noch einmal in die enttäuschten Augen gesehen hatte, fügte er hastig hinzu: »Wenn du sie ganz furchtbar gern behalten möchtest, darfst du sie haben.«
»Bitte, bitte«, sagte der Junge. »Oh, bitte. Gleich kommen die anderen Kinder, um mit mir zu spielen. Ich brauche die Trompete wirklich. Weißt du was? Wenn ich sie behalten darf, dann schenke ich dir – dann schenke ich dir ...« Der Junge sah sich um, ob er nicht etwas fände, was er dem Engel anbieten könnte. »Mein Schiffchen!« fiel ihm ein.
Der Engel schüttelte den Kopf. »Ein Schiffchen habe ich schon«, sagte er.
Der Junge wühlte in seinen Taschen und biss sich auf den Daumen. Plötzlich wurde sein Gesicht fröhlich, und er rief: »Ich weiß! Du bekommst mein Radio für die Trompete. Dann hast du doch auch Musik.« Er ergriff das kleine Transistorgerät, das neben ihm im Gras stand, und gab es dem Engel.

»Vielen herzlichen Dank«, sagte der Engel. Er hatte noch nie ein Radio gehabt und fand es wunderbar, dass er jetzt eins bekam.
»Hier an diesem Knopf musst du drehen«, sagte der Junge.
»Vielen herzlichen Dank«, sagte der Engel noch einmal, nahm das Radio, breitete die Flügel aus und flog geradewegs in den Himmel hinauf.
Der Junge starrte ihm lange nach, bis er ihn endlich in der blauen Luft verschwinden sah. Er blies zum Abschied auf seiner Trompete, und sofort kamen die Kinder aus der Nachbarschaft mit ihren Musikinstrumenten angerannt. Sie wollten wieder musizieren.
»Warum guckst du denn in den Himmel?« fragten sie. »Was siehst du denn da?«
»Ach, nichts«, sagte der Junge. »Wir wollen lieber anfangen.«
Und sie machten den ganzen Morgen im Park Musik.

Der kleine Engel kroch durch dasselbe Loch in der Himmelshecke wieder zurück und setzte sich mit seinem Transistorradio mitten auf den Rasen. Er war müde, und seine Flügel waren etwas ausgefranst vom Wind und den Abenteuern. Sehr bald schon saß eine große Gruppe von Engeln um ihn herum. »Wo bist du gewesen?« fragten sie. »Wo hast du so lange gesteckt? Und was hast du da mitgebracht?«

Der kleine Engel sagte nichts, sondern drehte an einem Knopf. Ein ganzer Strom von Musik kam aus dem Kasten, und die Engel lauschten verblüfft. Sie legten schnell ihre Instrumente aus der Hand. Alle Harfen und Posaunen wurden beiseite geräumt, und ein paar ältere Engel sagten zufrieden: »Wunderbar, das ist bequem und praktisch. Jetzt brauchen wir nicht mehr selbst zu spielen, das machen andere für uns, jetzt können wir stricken *und* Musik hören.«

Allein nicht weit von der grünen Himmelswiese befand sich das große Studierzimmer, in dem Gottvater saß und las. Er war so vertieft in sein Buch, dass er nicht sofort und unverzüglich wahrnahm, dass etwas Besonderes vor sich ging. Aber plötzlich legte er das Buch hin und lauschte angestrengt. Er stand auf und guckte aus dem Fenster. Da draußen sah er eine große Schar von Engeln. Einige saßen, andere lagen auf dem Rasen. In der Mitte stand ein kleiner Kasten, aus dem Musik erklang. In Gottvaters Stirn grub sich eine tiefe Falte. Die Türflügel öffneten sich, und er schritt hinaus. Wind kam auf im Garten, und ein furchtbares Unwetter mit krachenden Donnerschlägen brach los. Goldener Regen peitschte von allen Seiten, es wurde dunkel, und die Engel erschraken und hielten sich die Augen zu. Nur der kleinste Engel nicht, der sah sprachlos mit an, wie Gottvater das Radio ergriff und weit weg schleuderte, über die hohe Himmelshecke hinweg, weit, weit weg ... Die Musik aus dem Radio war plötzlich verstummt.

Weiter geschah nichts. Kein Wort war gefallen. Alles war ganz schnell wieder so wie sonst. Der Himmel war blau,

und der goldene Regen fegte nicht mehr durch die Luft. Jeder Engel hatte seine Harfe oder seine Posaune wieder an sich genommen, und es war ruhig auf der Wiese.
Nur der kleinste Engel irrte durch alle Himmelsgärten und war traurig. Seine Trompete hatte er nicht bekommen, und nun war auch sein neuestes Spielzeug, das Radio, weg. Der Engel setzte sich neben den himmlischen Hühnerstall und weinte. Dort fand ihn der alte Gärtner, und er sagte: »Was hast du denn?«
»Jetzt hab ich gar nichts mehr«, sagte der kleine Engel.
»Es gibt noch genug Trompeten im Himmel«, sagte der Gärtner. »Soll ich dir eine aus der Vorratskammer holen?«
»Nein«, sagte der kleine Engel, »keine andere Trompete hat so einen Ton wie meine. Und ich hab sie für immer verloren, denn der Junge auf der Erde braucht sie genauso nötig wie ich.«
»Das glaube ich nicht«, sagte der Gärtnerengel. »Ich forsche mal nach, ob es wirklich so ist.«
Der kleine Engel gab keine Antwort. Er weinte. Er weinte jeden Tag eine Stunde. Wochenlang.

Vier Vormittage lang musizierte der Junge mit den anderen Kindern im Park. Am vierten Vormittag, gegen Ende, kam ein Herr vorbei, der sagte: »Junge, du hast Talent. Willst du Geld verdienen mit Trompetenblasen? Willst du berühmt werden als Trompeter? Dann komm mit!«

Die anderen Kinder machten enttäuschte Gesichter und sahen erstaunt mit an, wie ihr Kamerad die Trompete unter den Arm nahm und mit dem Herrn davonging.

Am selben Abend noch spielte der Junge schon, von einem Orchester begleitet, in einem Saal voll Menschen. Er war stolz, und er war sehr froh über das viele Geld, das er verdiente. Die Menschen im Saal klatschten laut und lange. In den Zeitungen standen Artikel über das Wunderkind mit der Trompete. Und sein Bild erschien in allen Illustrierten. Er ging auf Tournee. Das bedeutete, dass er jeden Abend in einer anderen Stadt auftreten musste. Er musste auch im Rundfunk und im Fernsehen auftreten. Große Plakate hingen vor den Konzertsälen, in denen er spielte. Er hatte ungeheuren Erfolg, aber er musste auch viel dafür tun. Er musste viel reisen, er musste jeden Abend sehr lange spielen, er musste viele Hände drücken, er musste viele Autogramme geben – er musste zu viel. Er langweilte sich, weil er zu viel musste und zu wenig durfte. Er gähnte in den Pausen, und er hatte große Lust zu gähnen, während er Trompete blies. Das konnte nicht gut gehen. Es ging auch nicht gut. Er spielte schon nicht mehr so herrlich. Es schien, als ob die Trompete sich auch langweilte. Es schien manchmal, als ob sie gähnte. Sie klang nicht mehr so rein und auch nicht mehr so lieblich.

Eines Abends hatte der Junge im Fernsehstudio fern von seiner Heimatstadt gespielt. Er war müde und quengelig

und unzufrieden. »Ich wollte, ich hätte dich nie gesehen«, sagte er zu der Trompete. »Ich hab genug von dir, du klingst überhaupt nicht mehr schön.«
»Willst du sie los sein? Dann gib sie mir«, sagte der Kameramann, der dicht neben ihm ein paar dicke Kabel aufrollte. Der Junge sah den Kameramann ein wenig misstrauisch an. Es war ein alter Mann. Das war merkwürdig, denn Kameramänner sind immer jung. Und dieser war so alt und ganz krumm. Er hatte wahrhaftig einen Buckel.
»Meine Trompete weggeben?« fragte der Junge. »Das geht doch nicht. Ich bin doch auf Tournee.«
»Wie wär's denn, wenn du wieder mit deinen Freunden im Park spielen könntest?« sagte der Kameramann. »Am Teich, wo ihr immer gespielt habt. In deiner Heimatstadt. Was meinst du?«
Der Junge hob den Kopf und sagte: »Woher wissen Sie denn das? Woher wissen Sie, wo ich gespielt habe? Es stimmt genau.«
Der Kameramann schwieg und fuhr mit seiner Arbeit fort. Der Junge wurde plötzlich so müde und schläfrig, dass er seine Trompete neben sich legte und einschlief. Als er wach wurde, dachte er: Ich muss aber lange geschlafen haben. Die Nacht ist um, es wird schon hell. Ich bin im Fernsehstudio, weit weg von zu Hause. Aber halt, das ist ja gar nicht wahr, ich bin nicht weit weg von zu Hause, ich bin im Park. In meinem wohl vertrauten Park an meinem

wohl vertrauten Teich. Und wo ist meine Trompete? Da liegt sie ja neben mir. Aber ist es auch meine Trompete? Der Junge nahm das Instrument und blies. Es war nicht mehr seine Trompete. Es war eine andere Trompete, es war eine ganz gewöhnliche Trompete. Der Junge lachte. Er fand es nicht schlimm, er fand es herrlich. Er würde mit seinen Freunden musizieren und Trompete blasen. Er wollte gar nicht mehr berühmt sein, er wollte nur noch ein Junge sein, der mit seinen Kameraden spielt.
Und sehr bald kamen die alten Freunde und wunderten sich sehr, als sie ihn sahen. »Bist du nicht mehr berühmt?« fragten sie.
»Nein«, sagte der Junge, »ich bin nicht mehr berühmt.«
»Willst du denn wieder mit uns spielen?« fragten sie.

»Ja, das will ich«, sagte er und blies auf seiner Trompete. Es klang nicht mehr so himmlisch wie früher, das war ja auch nicht möglich, es war nicht mehr die Himmelstrompete. Es klang ganz gewöhnlich und ganz irdisch und ein bisschen unbeholfen, aber es machte großen Spaß, und kein fremder Herr erschien, der den Jungen mitnahm.

Der Kameramann im Studio hatte die Himmelstrompete behalten. Er knöpfte die Jacke auf, und zwei Flügel kamen zum Vorschein. Er kletterte durchs Fenster hinaus und flog in die Höhe.
Als er dort oben den kleinen Engel neben dem himmlischen Hühnerstall fand, sagte er: »Bitte schön, hier ist deine Trompete!«
»Oh«, sagte der kleine Engel mit einem tiefen Seufzer. »Meine Trompete, meine liebe, liebe Trompete!« Und der Engel ging in den Keller und spielte und spielte, stunden- und stundenlang, und die Trompete hatte einen Ton, so rein und so lieblich, so rund und weich, dass es kaum zu glauben war. Jedes Mal, wenn der Engel kurz aussetzte, schien es ihm, als ob er ein Echo hörte, ein ganz weit entferntes Echo von der Erde, wo die gewöhnlichen Kinder wohnen, die auf gewöhnlichen Trompeten blasen. Und das Echo der gewöhnlichen Trompete gab dem Engel Antwort.
Was aus dem Radio geworden ist?

Das war hinuntergefallen und nicht in tausend Stücke zersprungen. Es war auf einem Abhang des Popocatepetl gelandet, und da steht es noch neben einem braunen Eselchen, das nicht weiß, was das ist. Das Eselchen hat einen nachdenklichen Ausdruck im Gesicht, denn es denkt immerfort:
Was mag das bloß sein?
Was mag das bloß sein?

Böse Gedanken

»Du solltest einmal ans Heiraten denken«, sagte der alte König zu seinem Sohn.
»Wen soll ich denn heiraten?« fragte der Prinz ohne großes Interesse.
»Eine schöne Prinzessin«, sagte der König. »Und nicht nur schön, sondern auch gut soll sie sein. Sie darf keinen einzigen bösen Gedanken haben, nie und nimmer.«
»So jemanden finden wir bestimmt nicht«, seufzte der Prinz.
Aber der König rief seinen Kammerherrn. Dieser Mann hatte die eigenartige Gabe, dass er böse Gedanken sehen konnte. Er sah sie als geflügelte Insekten, die um die Köpfe der Menschen herumflogen.
»Hör mal zu«, sagte der König zu seinem Kammerherrn. »Heute Nachmittag kommen elf Prinzessinnen zur Ansicht. Wir werden schon selbst entscheiden, welche die Schönste ist, aber du, mein werter Kammerherr, du musst sehen, ob sie auch keine bösen Gedanken haben.«
Und so geschah es. Am Nachmittag saßen elf Prinzessin-

nen auf dem Rasen. Sie wiegten sich auf Plastikschaukelstühlen und schwiegen bedrückt, denn sie waren sehr nervös.
»Jetzt«, sagte der König.
Der Kammerherr trat zu der ersten Prinzessin, einer Blonden.
»Puh«, rief er und fuhr zurück. »Ekelhaft! Lauter Hornissen um sie herum!« Bei der zweiten rief er: »Schwarze Käfer ... Tausende!« Bei der dritten lief er sogar entsetzt davon und rief: »Wütende Wespen ... Hilfe!« Und so ging es weiter, die ganze Reihe entlang. Um all die hübschen Köpfe sah er abscheuliche Insekten herumfliegen, das waren die bösen Gedanken der Prinzessinnen. Der König und der Prinz standen dabei. Sie konnten die Insekten nicht sehen, aber sie waren voller Bewunderung für ihren tüchtigen Kammerherrn.
Endlich, bei der elften Prinzessin, stand der Kammerherr lange still. Dann ging er um sie herum, schaute, horchte und schnupperte an ihren Locken. »Nicht zu glauben«, murmelte er. »Kein einziger böser Gedanke. Keine Spur Böses bei diesem Mädchen. Ich bürge für sie.«
»Schön«, sagte der König. »Dann sind wir fertig.« Die übrigen zehn Prinzessinnen wurden schleunigst in ihren Karossen nach Hause geschickt. Vorher bekamen sie in aller Eile noch ein Stück Kuchen zum Trost, aber sie waren doch tief beleidigt, das sah man ihnen an. Und die

elfte Prinzessin wurde die Verlobte des Prinzen. Sie war unglaublich schön, das musste man zugeben. Sie hatte tiefblaue Augen und kastanienbraunes Haar, und sie war so weiß wie ein Porzellanpüppchen.

»Alsdann«, sagte der König und rieb sich die Hände, »das hätten wir geschafft! Bist du glücklich, mein Sohn?«

»Nein«, sagte der Prinz.

»Aber Junge«, rief der König erschrocken, »so eine schöne Braut von königlichem Blut und noch dazu ganz ohne böse Gedanken. Was willst du noch mehr?«

»Tja«, sagte der Prinz, »es mag schön sein, dass sie keine bösen Gedanken hat. Aber wenn Sie mich fragen, dann hat sie überhaupt keine Gedanken. Keine bösen, aber auch keine guten.«

»Komm, komm, was schadet denn das?« rief der König vergnügt. »Sie wird doch später Königin, und eine Königin braucht keine Gedanken zu haben. Wenn sie nur hinter dem Fenster ihres Wagens winken und freundlich lächeln kann, wenn sie nur liebenswürdige Worte auswendig lernen kann, dann braucht sie überhaupt nicht zu denken.«

Der Prinz schwieg. Am selben Tag machte er eine Bootsfahrt mit seiner schönen Verlobten. Sie ruderten langsam den Fluss hinauf. An den grünen Ufern standen überall blühende blaue und gelbe Schwertlilien in der Sonne.

»Glaubst du, dass es einen Himmel gibt?« fragte der Prinz.

Die Prinzessin sah ihn verwundert an, und ihm wurde klar, dass sie noch nie daran gedacht hatte. Er ruderte schweigend weiter, und sie kamen an einer alten, armseligen, halb verfallenen Hütte vorbei, die am rechten Ufer stand.

»Warum ist der eine Mensch reich und der andere arm?« fragte der Prinz. Wieder sah die Prinzessin ihn erstaunt an. Ihr Gesicht war schöner denn je, aber der Prinz wurde verdrießlich, weil er sah, dass sie noch nie über diese Frage nachgedacht hatte und auch nicht darüber nachdenken konnte. Sie hatte eben nie Gedanken.

»Ich lege einen Augenblick hier an«, sagte der Prinz. »Warte auf mich. Ich will mir die Hütte von innen ansehen.«

Die Prinzessin blieb geduldig in dem schaukelnden Boot am Ufer sitzen und ließ sich das dahinströmende Wasser durch die Finger rinnen. Inzwischen stieß der Prinz die Tür der Hütte auf.

Auf einem alten, wackeligen Stuhl saß ein ärmlich gekleidetes Mädchen mit dunklen Augen. Sie schälte Kartoffeln und sah verwundert zu dem schönen Prinzen auf.

»Guten Tag«, sagte der Prinz und starrte sie an, während sie ihre Kartoffeln weiter schälte.

»Guten Tag«, sagte das Mädchen.

»Warum ...« fragte der Prinz. »Warum ist eine Blume schöner als ein Korb mit Schalen?«

Das Mädchen hörte auf zu schälen und dachte nach.

Dann sagte sie: »Aber ist denn eine Blume wirklich schöner als ein Korb mit Schalen? Weißt du das bestimmt?« Und der Prinz sah sie an und fand den Korb mit Schalen auf ihrem Schoß schöner als alle Blumen der Erde. Das war seltsam, aber sie gefielen ihm nun einmal, und er wusste nicht, warum. Er wusste nur, dass dieses Mädchen Gedanken hatte. Er bot ihr freundlich den Arm und führte sie durch die grünen Felder nach Hause. Die Prinzessin im Boot hatte er total vergessen, und als er mit dem armen Mädchen ins Schloss kam, sagte er zu seinem Vater, der gerade ein Nickerchen auf dem Thron machte: »Vater, dies ist meine Braut. Sie *denkt!*«

»Aber lieber Junge«, rief der König erschrocken, »du hast doch schon eine Braut! Und die da – die ist ein ganz widerliches Mädchen. Die hat ja ein Kartoffelschälmesser in der Hand! Was werden die Leute sagen? Und was für ein schmutziges Kleid!«

»Das kann man ändern«, sagte der Prinz. »Es gibt genug Kleider in der Welt.«

Inzwischen war der Kammerherr hereingekommen. Er stieß einen Schreckensschrei aus, als er das Mädchen erblickte, und rief: »Eine Hummel! Eine dicke braune Hummel fliegt um ihren Kopf. Sie hat einen bösen Gedanken!«

»Nur einen?« lachte der Prinz. »Was hast du denn gedacht, Liebste?«

Das Mädchen wurde rot und sagte: »Ich habe gedacht, was für ein dummer König, der sich darum kümmert, was die Leute sagen.«

»Sehen Sie wohl?« rief der Kammerherr hitzig. »Ein böser Gedanke!«

»Besser als gar keiner«, sagte der Prinz und küsste sein Mädchen, so schmutzig es auch war. Dann wurde sie in die Badewanne gesteckt, und gleich danach wurde die Hochzeit gefeiert.
Der Festzug fuhr am Fluss entlang, und der Bräutigam sah zu seinem großen Schrecken, dass die schöne Prinzessin immer noch in ihrem Boot auf ihn wartete. »Ich hatte sie vergessen!« rief er. Und dann ließ er fragen, ob sie im letzten Wagen Platz nehmen wollte.
Die Prinzessin stimmte zu und dachte nicht weiter darüber nach, denn sie dachte ja überhaupt nicht.
Der Brautzug fuhr zur Kirche, und alle waren glücklich – bis auf den Kammerherrn. Der schlug mit dem Stock um sich und brummte: »Überall Insekten in der Kirche, Käfer und Mücken und Wespen und blaue Fliegen und Hornissen ... Pfui ... Pfui ...!«
Aber niemand kümmerte sich auch nur einen Pfifferling darum.

Die tiefgekühlten Damen

Es war einmal ein Friseur, der montags frei hatte und dann alle Sehenswürdigkeiten besichtigte. Er war schon im Museum gewesen und in der Ausstellung und in der Echohöhle, und weiter wusste er nichts.

»Wo soll ich nur heute hingehen?« fragte er sich am Montagmorgen. »Eigentlich könnte ich mir mal das Kühlhaus ansehen, wo der tiefgefrorene Kabeljau aufbewahrt wird. Vielleicht ist das keine echte Sehenswürdigkeit, aber doch besser als nichts.«

Das Kühlhaus lag ein ganzes Ende außerhalb der Stadt, und der Friseur fuhr mit seinem Auto hin.

Drinnen war es recht frisch. Zwanzig Frauen waren damit beschäftigt, Kabeljau zu verpacken, und sie hatten es so eilig, dass sie den Friseur überhaupt nicht bemerkten.

Dies ist noch nicht das richtige Tiefkühlhaus, dachte der Friseur. Ich muss noch weiter in das Gebäude hineingehen.

Er folgte ein paar Männern, die große Kisten schleppten. Sie hatten glänzende dicke Jacken an und Lederhandschuhe und wollene Mützen auf dem Kopf, und das musste

auch sein, denn in dem großen Tiefkühlraum waren vierzig Grad unter null.
»Ich will es aber doch sehen«, sagte der Friseur klappernd vor Kälte.
Er stellte den Kragen seiner Jacke hoch und ging von einem Tiefkühlraum in den anderen, an endlosen Gestellen mit Fisch, Fisch, Fisch entlang.
»Wie groß das hier alles ist«, sagte der Friseur. »Ich darf nicht zu weit gehen, sonst könnte ich mich wahrhaftig noch verlaufen. Wo sind denn die Männer geblieben? Hallo ...« rief er. Und als er keine Antwort bekam, rief er noch einmal: »Hallo!«
Lieber Himmel, ich muss zurück, dachte er. Oder ich erfriere. Diese Temperatur ist nicht auszuhalten. Er wandte sich um und ging zurück. Von einem Raum irrte er in den anderen, zwischen lauter Fisch, und nach zehn Minuten hatte er die Richtung verloren. Verzweifelt begann er zu rennen und zu schreien, aber niemand hörte ihn. Die Eiseskälte kroch ihm in die Nase und in die Lungen und in die Augen und in die Zehen, und alles tat ihm weh. Endlich war er ganz steif und setzte sich auf ein Paket Fisch und weinte. Seine Tränen gefroren sofort und knallten wie Fruchtbonbons auf den Boden.
»O liebe Leute, jetzt muss ich erfrieren«, sagte der Friseur. »In fünf Jahren finden sie meine steif gefrorene Leiche. Dann werden sie sagen: ›Sieh mal an, da liegt der Friseur,

der jeden Montag ausging, um unsere Sehenswürdigkeiten zu besichtigen.‹ Zum Glück habe ich keine Frau, die mich betrauern müsste. Nur Kundinnen, und die finden wohl einen anderen Friseur. Und jetzt werde ich schlafen und nie mehr aufwachen.«

Er machte die Augen zu, und es war ihm, als ob er in eine tiefe Grube fiele. Er fiel und fiel, und ihm wurde wieder wärmer, denn Schlaf ist immer warm.

Als er wach wurde, wagte er nicht, die Augen aufzumachen, und sagte: »Bin ich nun im Himmel oder in der Hölle? Ich bin tot, das steht fest, aber es kommt mir so vor, als ob ich im Auto führe. Sollte das vielleicht meine Beerdigung sein? Ich muss schon sagen, das geht aber rücksichtslos schnell.«

Nun machte er die Augen auf. Er saß auf einem Schlitten, der von sechs weißen Tieren gezogen wurde. Sie waren so groß wie Wölfe, aber als er genauer hinsah, entdeckte er, dass es Frettchen waren. Große, weiße Frettchen.

»Bist du wach?« fragte eine Stimme. Er wandte den Kopf und sah eine Dame in einem weißen Plastikmantel neben sich. Sie war sehr hager, hatte leuchtende Augen und lachte mit weißen Lippen. Alles an ihr war weiß, aber das kam ihm vielleicht nur so vor durch das Mondlicht.

»Welch ein Zufall, dass ich dich gefunden habe«, rief sie. »Wie lange haben wir uns nicht mehr gesehen! Du kennst mich doch noch?«

Plötzlich erinnerte sich der Friseur an seine Jugend, und er sagte: »Sie sind Tante Frigitte!«

»Stimmt«, sagte sie. »Jetzt bist du mein Gast, und ich nehme dich mit nach Hause.«

Der Friseur fühlte sich ziemlich unbehaglich. Er wusste noch genau, dass Tante Frigitte ihn einmal fest ins Ohr gekniffen hatte, als er noch klein war. Er hatte auf den weißen Freesien in ihrem Garten herumgetrampelt.

»Aber Tante«, sagte er, »ich dachte, Sie wären damals, als ich acht Jahre alt war, im Eis eingebrochen und ...«

»Das war auch so«, sagte sie. »Und darum bin ich jetzt hier. Sieh nur, wie prachtvoll es in unserer Tiefkühlkolonie ist!«

Der Friseur sah sich um.

»Eine ganze Stadt aus Kristall«, rief er. »Wolkenkratzer aus Kristall!«

»Aus Eis«, sagte sie. »Alles ist aus Eis und Schnee. Und doch ist es nicht kalt, nicht wahr?«

»Nein«, sagte er. Und das stimmte. Er fror nicht mehr, und er betrachtete hingerissen die glatten Straßen zwischen den turmhohen Mietshäusern aus Eis, die im Mondschein funkelten und blitzten und glitzerten von Millionen leuchtender Lichter.

Es herrschte ein reger Verkehr. Überall Schlitten, und in allen Schlitten saßen Damen, und alle wurden von großen Frettchen gezogen.

»Wohnen nur Damen in dieser Stadt?« fragte er.
»Nein«, sagte sie. Und sie zeigte auf den Verkehrsschutzmann.
Der Friseur musste lachen, denn der Verkehr wurde von einem Schneemann mit Rübennase und Holzkohlenaugen geregelt.
Und dann waren sie zu Hause. Zu Hause in der Tiefkühlvilla von Tante Frigitte. Das Haus schien aus Glas zu sein, aber es war aus Eis wie alles, was es gab. Die Fußböden waren bedeckt mit weichen, knirschenden Schneeteppichen, die Wände waren durchsichtig, aber hier und da mit Eisblumen bedeckt. Überall standen Eisbänke mit Schneedecken und Tische aus Eis. Und auf allen Bänken saßen Tiefkühldamen in Weiß – weiße Haare und weiße Kostüme –, und als der Friseur und Tante Frigitte hereinkamen, fingen alle sehr laut an zu schwatzen.
»Dies ist mein Neffe, der Friseur«, sagte Tante Frigitte. »Er wird uns allen prächtige Frisuren machen.«
Die Damen schnatterten immer lauter, es klang wie das Klirren von Eiswürfeln im Mixbecher. Sie kamen auf ihn zu. Sie betrachteten ihn von allen Seiten. Sie befühlten ihn und drehten ihn herum und rochen an seinen Haaren, und der arme Friseur fühlte sich sehr unbehaglich.
»Lasst den Jungen erst einmal etwas essen, bevor er mit der Arbeit beginnt«, sagte Tante Frigitte und klatschte in die Hände.

Ein Schneemann kam auf plumpen Schneefüßen herein und brachte ein Tablett mit gefrorenem Kabeljau und eine Portion Eis. Der Friseur aß alles auf, und dann musste er an die Arbeit gehen. Er bekam einen Frisiersalon aus Eis mit Spiegeln aus Eis und Stühlen aus Schnee zur Verfügung gestellt. Eine Tiefkühldame nach der anderen kam herein, und er steckte ihnen das schlohweiße Haar auf. Er kämmte und flocht und bürstete die weißen Locken, steckte sie mit Eisnadeln fest und setzte hier und da eine Eisblume hinein. Es wurde wunderbar: Sie bekamen hohe, lockige, glänzende weiße Eistorten auf die Köpfe, und sie waren entzückt.
Eine der Tiefkühldamen war jung. Sie hieß Sorbett und war so schön, dass der Friseur sie immerfort im Spiegel angucken musste. Auch sie hatte ein weißes Gesicht, aber ihre Augen waren wie dunkle, gefrorene Weiher, in denen sich das Mondlicht spiegelt, und ihre Stimme klang wie Schlittenglöckchen.
»Erzähl mir von dem Land, aus dem du kommst«, sagte sie. Der Friseur versuchte, sich an sein eigenes Land zu erinnern, aber seltsam, er hatte vergessen, wie es da aussah.
»Erzähl mir doch, wie es dort ist«, bat die schöne Sorbett.
»Ich weiß es nicht mehr«, sagte er. Gleich danach ging sie, und die nächste Tiefkühldame trat in seinen Eissalon.
Der Friseur war ganz zufrieden. Er aß jeden Tag gefrorenen Fisch und Eis, er arbeitete fleißig und dachte nie mehr

an sein eigenes Land. Abends durfte er dem Winterballett auf dem großen Eisplatz zusehen. Da tanzten die Tiefkühldamen auf Schlittschuhen mit ihren schimmernd weißen Frisuren im Mondlicht. Eines Abends stellte sich Sorbett neben ihn und fragte: »Willst du mit mir tanzen?«

»Ich kann nicht Schlittschuh laufen«, sagte der Friseur, »ich hab keine Schlittschuhe.«

»Wollen wir dann ein Stündchen Schlitten fahren?« fragte Sorbett und führte ihn zu ihrem Schlitten, vor den sechs kräftige Frettchen gespannt waren.

Als der Friseur einsteigen wollte, kam er einem der Tiere zu nahe. Das Frettchen biss ihn in den Finger, und ein Tropfen Blut fiel in den Schnee.

Beim Anblick des roten Blutes erinnerte er sich plötzlich wieder daran, wie es in seiner eigenen Welt ausgesehen hatte. O ja, da gab es Farben, dachte er. Da gab es Rot. Rot wie Blut und rot wie Geranien und rot wie Rücklichter. Und es gab Grün. Grün wie Gras und Gelb wie Küken und Rosa wie Postanweisungen. Unterwegs erzählte er Sorbett von seiner wunderbaren Welt.

»Farben«, sagte er. »Überall Farben.«

Sie verstand ihn nicht. Er konnte es ihr nicht erklären und fing an zu stammeln, aber seine Augen strahlten so, dass sie gefesselt war.

»Und die Sonne scheint.«

»Was ist Sonne?«

»Die Sonne ist gelb und heiß und herrlich«, sagte der Friseur. »Oh, wie gerne möchte ich in meine Welt zurückkehren. Liebe Sorbett, zeigst du mir den Weg?«
»Ich will dir gern den Weg zeigen«, sagte Sorbett, »aber nur unter einer Bedingung.«

»Und die wäre?«
»Nimm mich mit«, sagte sie, »ich will bei dir bleiben. Ich hab dich lieb.«
»Einverstanden«, sagte der Friseur. »Dann bist du jetzt meine Braut. Wir machen uns sofort auf den Weg!«
Sie fuhren zur Stadt hinaus und kamen auf eine kahle Eisfläche, wo es nichts als Mondlicht gab und Eis.
»Deine Tante Frigitte hat sich vorgenommen, einen Schneemann aus dir zu machen, so einen mit Kohlenaugen«, sagte Sorbett.
Plötzlich fror der Friseur wieder und rief: »Schneller!«
Aber das Eis wurde bröckelig. Große Schneehaufen versperrten den Weg. Kalte Winde vom Pol heulten um die Schneeberge herum, es war eine grauenhafte Landschaft.
»Wir müssen aussteigen«, sagte Sorbett. »Wir müssen zu Fuß weiter.« Sie ließen den Schlitten stehen und kletterten über die Eisschollen und Schneehaufen weiter.
»Hier muss irgendwo der Eingang sein«, sagte sie. »Der Eingang der Grotte. Dort ist das Ende unserer Welt und der Anfang der deinen.«
»Still«, sagte er. »Ruft da etwas?«
Sie blieben stehen, um zu horchen. »Das ist Tante Frigitte«, sagte Sorbett, »sie kommt hinter uns her.«
»Neffe!« schrie Tante Frigittes Stimme in der Ferne. »Neffe! Komm sofort zurück!«

»Schnell, schnell«, rief Sorbett. »Hier irgendwo zwischen den Schollen muss die Öffnung sein.«
Sie suchten verzweifelt um die Eisschollen herum, gruben mit den Händen im Schnee und stürzten ganze Eisblöcke um. »Vorwärts«, keuchte Sorbett. »Sie ist schon da. Ich höre ihre Schritte knirschen.«
»Hier ist ein Loch«, sagte der Friseur.
Gerade noch zur rechten Zeit ließen sie sich in das Loch fallen. Über ihren Köpfen hörten sie Tante Frigitte suchen und rufen und auf dem Eis herumkratzen, aber sie krochen tiefer und tiefer in die Grotte hinein und gelangten in einen Gang.
»Kommt sie hinter uns her?« fragte der Friseur zitternd.
»Nein«, sagte Sorbett, »sie hat viel zu viel Angst vor deiner Welt, sie wagt sich nicht weiter.«
Am Ende des Ganges war eine Tür, die ganz leicht aufging.
»Das Kühlhaus«, sagte der Friseur. »Wir sind im Kühlhaus, und ich weiß jetzt auf einmal auch wieder, wo der Ausgang ist. Komm nur!«
Er fand den Ausgang wirklich ganz schnell, und plötzlich standen sie im warmen Sonnenschein.
Es war wunderbar. Grüne Bäume und rote Pfingstrosen und gelbe Butterblumen im Gras. Was für eine schöne Welt! Der Friseur lachte vor Glück und fragte: »Wie findest du es?«

»Schön«, sagte Sorbett. Ihr war sehr warm, das konnte man sehen. Der Schweiß stand ihr auf der Stirn. »Bei mir zu Hause ist es herrlich kühl«, sagte er. »Schau, da steht ja sogar mein Auto noch. Steig ein, dann zeige ich dir alles.«

»Siehst du die Farben?« fragte er, während sie fuhren. »Guck dir mal die roten Dächer und das blaue Wasser an!«

Er war so aufgeregt, und es gab so viel zu sehen unterwegs, dass er kaum noch auf Sorbett achtete und gar nicht merkte, dass sie kein Wort sagte.

Endlich musste er vor einem roten Licht halten und sah zur Seite. »Himmel, sie schmilzt!« rief er.

Das arme Tiefkühlmädchen war dabei, eine kleine Pfütze zu werden. Sie schmolz sehr schnell. Der Friseur nahm sein Taschentuch und wischte ihr das Gesicht ab, aber das Wasser lief nur so. Er schob das Dach auf und fächelte ihr Kühlung zu, das half aber auch nicht mehr. Hinter ihm hupten die anderen Autos, denn das rote Licht war auf Grün gesprungen. Der Friseur war jedoch zu erschrocken, um weiterzufahren, und jammerte immer nur vor sich hin: »Sie schmilzt, sie schmilzt!«

Ein Polizist steckte den Kopf ins Wagenfenster und fragte: »Warum fahren Sie nicht weiter, mein Herr?«

»Meine Braut schmilzt«, sagte der Friseur.

»Aber wo ist denn Ihre Braut?« fragte der Polizist.

»Hier neben mir«, sagte der Friseur. Aber neben ihm war nur eine kleine Pfütze.

»Ihnen ist bestimmt nicht wohl«, sagte der Polizist. »An Ihrer Stelle würde ich weiterfahren und zu Hause eine kalte Dusche nehmen.«

»Aber diese Pfütze ist *doch* meine Braut«, sagte der Friseur ganz verzweifelt.

Der Polizist sah ihm mitleidig nach. Als der Friseur nach Hause kam, nahm er einen Lappen und wischte den Sitz ab. Ein Glück, dass es Kunstleder ist, dachte er, und dann bekam er einen Schreck über seine Herzlosigkeit. »Liegt mir denn wirklich so wenig daran, dass die arme Sorbett geschmolzen ist?« fragte er sich.

»Eigentlich liegt mir überhaupt nichts daran«, antwortete er sich. »Sie war mir doch zu kühl. Ich bin froh, dass ich nicht mehr in dem Land der Tiefkühldamen sein muss. Und jetzt koche ich mir eine Tasse ganz heißen Kaffee.«

Er stellte Wasser auf und öffnete den Kühlschrank, um eine Flasche Sahne herauszuholen. Und weil er die Sahne nicht gleich fand, beugte er sich vornüber und steckte den Kopf in den Kühlschrank. Da spürte er, wie sich zwei eiskalte Hände um seinen Hals legten.

»Jetzt hab ich dich«, sagte Tante Frigittes kalte Stimme. »Ich lass dich nie mehr los. Du musst zu mir zurückkehren.«

Der Friseur erstickte fast. Er prustete und hustete und gurgelte und röchelte. Mit beiden Händen stemmte er sich gegen die obere Kante des Kühlschranks und gab sich einen solchen Ruck, dass er frei kam und hintenüber auf den Küchenboden stürzte. Mit einem Fußtritt stieß er die Kühlschranktür zu.

»Das war um Haaresbreite«, sagte der Friseur, dem es sehr heiß geworden war. Er trank seinen Kaffee schwarz, und am anderen Tag ließ er eine Anzeige in die Zeitung setzen: »Kühlschrank zu verkaufen! So gut wie neu!«

Und bis zum heutigen Tage hat der Friseur keinen Kühlschrank im Haus. Und er hasst alles, was aus der Tiefkühltruhe kommt, sogar Spinat.

Die Miesepeter

Der Abfallsammler fuhr mit seinem Wagen an allen Türen vorbei. Er war vergnügt und sang sich eins:

Hier bin ich mit dem Wagen,
Hier bin ich mit dem Pferd.
Madam,
hier ist der Abfallmann,
Habt ihr etwas von Wert?
Apfelschalen,
Birnenschalen,
Kohlstrünke nehm ich auch,
Drum werft sie auf die Straße nicht,
Das ist allhier nicht Brauch.
Kartoffelschalen,
Birnenschalen,
Ein altes Stückchen Brot,
Das gebt nur mir,
dem Abfallmann,
Und alles kommt ins Lot.

»Hallo«, sagte eine der Frauen an der Tür. »Was singen Sie da wieder Schönes? Ich wollte, mein Mann sänge auch manchmal. Aber kein Gedanke daran.«
»Singt Ihr Mann nie?« fragte der Abfallmann.
»Nie«, sagte die Frau. »Soll ich Ihnen was sagen?« Sie zog den Abfallmann näher zu sich heran und flüsterte ihm ins Ohr: »Mein Mann ist ein Miesepeter.«
»Ein was?« fragte der Abfallmann.
»Ssst«, sagte sie. »Lassen Sie das niemand hören. Er ist ein Miesepeter.«
»Was ist denn das, ein Miesepeter?« fragte der Abfallmann.
»Wissen Sie nicht, was ein Miesepeter ist? Miesepeter sind Menschen, die immer unzufrieden sind, immer jammern und maulen und nörgeln und quengeln und zanken und murren und fluchen und klagen.«
»So«, sagte der Abfallmann. »Gibt es denn viele von diesen Miesepetern in der Stadt?«
»Viele?« sagte die Frau. »Was heißt hier viele? Tausende, Zehntausende. Horchen Sie mal!«
Der Abfallmann horchte aufmerksam. Und was hörte er um sich herum?
Das Klagen und Maulen der Miesepeter. Große Miesepeter und kleine Miesepeter. Vater-Miesepeter und Mutter-Miesepeter und Kinder-Miesepeter. Gejammer und Gequengel. Gemurre und Genörgel. Ja, wer gut aufpasst, hört die Miesepeter. Sie wollen:

Nicht in die Schule,
Nicht ins Büro,
Ein anderes Leben,
Mehr Urlaub,
Jede Woche an die Riviera,
Keinen Endiviensalat,
Wieder ein neues Auto.

Und noch hundert Dinge nicht und hundert Dinge wohl.
»Jemine!« sagte der Abfallmann, als er das hörte. »Was bin ich froh, dass ich kein Miesepeter bin. Und jetzt ist mein Wagen voll, und ich fahre nach Hause.«
Aber gerade, als der Abfallmann seinen Wagen wendete, um nach Hause zu fahren, kam aus einem engen Gässchen eine fremde Dame auf ihn zu.
Es war eine sehr dünne Dame. Und sie sagte: »Ach, lieber Abfallmann, haben Sie vielleicht eine kleine Pfeife unter Ihren Schalen gefunden?«
»Eine Pfeife?« fragte der Abfallmann. »Haben Sie die etwa aus Versehen zusammen mit den Schalen weggeworfen? Wie schade!«
»Es ist weiter nicht schlimm«, sagte die dünne Dame. »Es war nur so ein Pfeifchen für zehn Pfennig.«
»Immerhin«, sagte der Abfallmann.
»Wenn Sie es finden sollten«, sagte die dünne Dame, »hüten Sie sich, damit zu pfeifen.«

»Warum denn?« fragte er.
»Ja, das könnte gefährliche Folgen haben«, sagte die Dame. Und weg war sie, als hätte die Erde sie verschluckt.
»Hallo, Sie da!« rief der Abfallmann ihr nach, aber es half nichts, sie war und blieb verschwunden.
Nachdenklich stand er neben seinem Wagen und wühlte in den Kartoffelschalen herum. Und wahrhaftig, er fand die Pfeife. Eine ganz gewöhnliche Pfeife für zehn Pfennig. Und neugierig war dieser Abfallmann, so neugierig ... Er konnte es nicht lassen, er musste einfach mal damit pfeifen. Und als er es tat, ertönte sofort eine komische kleine Melodie aus der Pfeife. Und zugleich geschah etwas. Überall gingen die Türen auf, und Leute kamen heraus. Sie kamen gegen ihren Willen, sie wollten nicht, sie *mussten.*
Und als der Abfallmann mit seinem Wagen aus der Stadt fuhr, folgte ihm eine lange Reihe Menschen. Das waren die Miesepeter. Alle Miesepeter mussten mitgehen. Sie sträubten sich, sie schrien Mord und Brand, sie wollten absolut nicht mit, und sie riefen einen Polizisten zu Hilfe.
»Herr Wachtmeister, wir werden mitgezerrt!« riefen sie. »Wir hängen fest!«
Der Polizist sah sich die Sache an und sagte: »Sie sitzen ganz und gar nicht fest.«
»Doch, Herr Wachtmeister, wir hängen an einem unsichtbaren Draht.«

»Hören Sie mal«, sagte der Polizist ärgerlich, »das ist doch Unsinn. Vor dem Gesetz gibt es keinen unsichtbaren Draht.«
Natürlich blieben eine ganze Menge Menschen in der Stadt zurück. Alle, die keine Miesepeter waren, blieben da. Und alle zurückgebliebenen Leute, Kinder und Erwachsene, sahen sprachlos vor Staunen zu, wie alle Miesepeter wegzogen. Sie konnten es nicht verstehen.
»Alle Miesepeter gehen weg«, sagten sie. »Warum? Wieso? Wer kann daran schuld sein?« Ein paar Kinder riefen: »Vielleicht weiß die dünne Dame etwas davon?« Und sie riefen: »Dünne Dame, dünne Dame!«
»Hier bin ich.« Und da stand die dünne Dame.
»Die Miesepeter sind weg«, riefen alle Leute.
»Nein, so was«, sagte die dünne Dame kopfschüttelnd. »Und ich hab dem Abfallmann doch so eingeschärft, dass er die Pfeife nicht benutzen soll. Nun hat er es doch getan.«
»Und was wird nun aus den Miesepetern?« fragten die Leute. »Tja«, sagte die dünne Dame, »die gehen mit dem Abfallsammler auf sein Abfallschiff. Da müssen sie bleiben und bekommen nichts anderes zu essen als Schalen.«
Erschrocken und bestürzt sahen die Menschen einander an. »Das ist schlimm«, sagten sie. Aber manche Kinder riefen: »Schlimm? Toll ist das! Wir sind die Miesepeter los. Jetzt wird's gemütlich bei uns!«

»Natürlich«, riefen die anderen. »Kein Gejammer und Gequengel mehr.« Sie bildeten einen großen Kreis um den Musikpavillon und sangen, dass der Putz von den Wänden fiel.

Inzwischen saßen die Miesepeter auf dem Abfallschiff. Sie fanden es entsetzlich widerlich dort.

»Was sollen wir essen?« fragten sie den Abfallmann.

»Schalen«, sagte er, »was denn sonst?«

»Wir wollen wieder nach Hause!« riefen sie.

»Ich halte euch nicht zurück«, sagte der Abfallmann. »Ich will euch gar nicht haben. Geht nur!«

Nun versuchten die Miesepeter, das Schiff zu verlassen, aber das ging nicht. Ein unsichtbarer Draht hielt sie fest. So blieben sie eben da und aßen Schalen. Kartoffelschalen, Birnenschalen und die äußeren Blätter vom Salat. Und die waren auch noch welk. Und Radieschengrün aßen sie und aus Versehen manchmal den Deckel von einer Tube.

»Wie gut haben wir es zu Hause gehabt«, sagte ein alter Herr.

»Koteletts mit Spargel.«

»Und Eier mit Bratkartoffeln«, sagte ein Junge.

»Und Sessel zum Sitzen«, sagte eine Frau.

»Und Spielzeug und Comics«, weinten die kleinen Miesepeterchen.

»Ich fahr jetzt in die Stadt«, sagte der Abfallmann. »Bis heute Abend also ...«

»Was? Sie gehen in die Stadt? Oh, dürfen wir mitfahren?«
»Natürlich dürfen Sie mitfahren«, sagte der Abfallmann. »Versuchen Sie es doch.«
Die Miesepeter sahen ihn wegfahren mit seinem Wagen und seinem Pferd, aber sie konnten das Schiff nicht ver-

lassen. Traurig blieben sie zurück. Und so fuhr der Abfallmann jeden Tag in die Stadt, um neue Schalen zu holen, denn die Miesepeter aßen viel. Und wenn er dann in die Stadt kam, standen immer eine Menge Menschen auf der Straße, die schon auf ihn warteten. Die Frauen riefen:
»Wie geht es meinem Mann? Hat er es gut dort?«
Die Männer riefen: »Wie geht es meiner Frau?« Einige fragten auch besorgt: »Was ist mit meinem Söhnchen?«
»Großartig geht es allen«, sagte der Abfallmann. »Sie essen ausgezeichnete Schalen mit viel Vitaminen.«
»Müssen sie denn immer da bleiben?« fragten die Leute.
»Ich kann sie nicht losmachen«, sagte der Abfallmann. »Sie hängen an einem unsichtbaren Draht. Ich denke mir, der muss wohl elektrisch sein.«
»Aber sollen sie denn ihr ganzes Leben auf diesem dreckigen Schiff verbringen?«
»Na, na, mein Schiff ist nicht dreckig«, sagte der Abfallmann. Aber die Leute in der Stadt waren beunruhigt und warfen dem Abfallmann böse Blicke zu.
»Wir wollen unsere Miesepeter wiederhaben!« riefen sie.
»Liebe, gute Menschen«, sagte der Abfallmann ganz unglücklich, »ich kann euch nicht helfen, wirklich nicht. Fragt doch lieber die dünne Dame!«
»Dünne Dame! Dünne Dame!« riefen alle.
Auf einmal stand die dünne Dame da und sagte: »Was beliebt?«

»Die Leute wollen ihre Miesepeter wiederhaben«, sagte der Abfallmann.

»Hör mal, Abfallmann«, sagte die Dame, »weißt du nicht mehr, dass ich dich gewarnt habe? Ich habe dir deutlich gesagt, du sollst nicht auf der Pfeife blasen.«

»Ja, dünne Dame«, sagte der Abfallmann.

»Und du hast es doch getan.«

»Leider, dünne Dame«, sagte der Abfallmann zitternd. »Ich hab es doch getan.«

»Wir wollen unsere Miesepeter wiederhaben!« riefen die Leute. »Sofort!«

»Wie dumm von euch«, sagte die Dame. »Es ist doch viel ruhiger und netter in der Stadt, wenn alle die Brummbären weg sind.«

»Das schon«, sagte eine Frau, »aber wenn mein Mann auch ein Miesepeter ist, ich vermisse ihn doch sehr.«

»Und ich vermisse meine Kinder«, rief eine Mutter, »wenn sie auch Miesepeter sind.«

»Das müsst ihr selber wissen«, sagte die Dame. »Abfallmann, hast du das Pfeifchen noch?«

Der Abfallmann suchte in der Hosentasche, und jeder hielt den Atem an.

»Nein«, sagte er, und alle fingen an zu weinen. »Vielleicht im Portmonee«, sagte die dünne Dame.

»Ach ja«, sagte der Abfallmann und holte das Pfeifchen heraus.

»Geh auf dein Schiff«, sagte die dünne Dame, »und blas in die Pfeife. Aber leg den Finger auf das mittlere Loch. Dann kommt eine andere Melodie heraus, und die könnte vielleicht helfen. Beeil dich!«
Der Abfallmann sprang auf seinen Wagen und ließ sein Pferd galoppieren.
»Nun müssen wir abwarten«, sagte die dünne Dame, und die Leute riefen: »Wenn es nur glückt! Ach, wenn sie nur wiederkommen! Unsere lieben Miesepeter. Jantje, steig auf den Turm und guck mal, ob sie schon zu sehen sind!«
Jantje stieg auf den Turm und hielt Ausschau.
»Jantje, siehst du schon etwas?«
»Nein, ich seh nichts«, rief Jantje.
»Und hörst du auch noch nichts?«
»Augenblick mal! Seid mal ganz still ...!« rief Jantje. »Ich hör was. Ich höre das Pfeifchen. Und jetzt seh ich auch einen ganzen Haufen Menschen auf der Straße. Sie kommen ...«
»Hurra! Hurra!« riefen die Mädchen. »Da kommen sie! Da sind sie!«
Und wahrhaftig, da kam der lange Zug Miesepeter in die Stadt hineinmarschiert. Ganz zerknautscht sahen sie aus. Wenn man so lange zwischen lauter Abfallschalen gelebt hat, wird man nicht gerade schöner. Aber sie waren so froh und vergnügt! Nicht wiederzuerkennen! Es waren überhaupt keine Miesepeter mehr.

Die Männer umarmten ihre Frauen, und die Mütter umarmten ihre Kinder, alle die mageren Miesepeter-Kinder, die sofort ein Eis bekamen und ein Heft mit Comics dazu.
Ein ungeheures Fest wurde gefeiert mit Bergen von leckeren Dingen und Musik und Fahnen und Girlanden und Feuerwerk, und die dünne Dame stellte sich auf den Kopf.
Endlich sagte jemand: »Wir müssen uns noch bei dem Abfallmann bedanken.«
»Bei mir?« sagte der Abfallmann. »Ich hatte ja gar nichts damit zu tun. Morgen hol ich die Schalen ab wie gewöhnlich.«
So ging das Fest weiter, und das Pferd bekam vierzehn Zuckerstückchen.

Das Untier mit dem Nachnamen

Es war einmal ein kleines Bauernmädchen. Jedermann nannte es Pusselchen, weil es so vorsichtig war. Es ging immer ganz langsam und guckte auf den Boden, um ja nicht auf eine Blume oder einen Käfer zu treten, denn alle Pflanzen und Tiere in dem großen Wald waren ihre guten Bekannten. »Pusselchen«, sagten die Leute, »geh doch lieber nicht durch den großen Wald in die Schule. Geh lieber über die Chaussee. Im Wald wohnt ein abscheuliches Ungeheuer. Das Untier vom Busch! Das Untier mit dem Nachnamen! Weißt du denn das nicht?«

»Ich hab das Untier noch nie gesehen«, sagte Pusselchen. »Ich hab aber auch keine Angst vor ihm.« Und sie blieb bei ihrer Gewohnheit und ging jeden Tag durch den wüsten, wilden Wald.

»Pusselchen«, sagten die Leute, »der König hat einen Wettbewerb ausgeschrieben: Wer das Untier mit dem Nachnamen fängt, bekommt die Hälfte des Königreichs und darf die Prinzessin heiraten. Siehst du ein, wie gefährlich es ist, durch den Wald zu gehen? Glaubst du uns jetzt?«

»Ich hab trotzdem keine Angst«, sagte Pusselchen und ging wieder durch den Wald. Als sie in die Nähe des Teiches kam, hörte sie ein gewaltiges Gebrumm, Geschnaufe und Geschrei. Sie guckte in die Höhe und sah etwas durch die Luft fliegen, das mit einem gewaltigen Plumps im Teich landete, sodass das Wasser nach allen Seiten spritzte.
Pusselchen starrte neugierig auf die Kreise im Weiher und sah dann einen jungen Mann, der prustend aus dem Wasser auftauchte. Er schwamm ans Ufer, und Pusselchen half ihm, an Land zu kommen.
»Was ist denn passiert?« fragte sie.
»Es hat mich in die Luft geschleudert ...« keuchte der junge Mann. »Auf den Hörnern – das Untier mit dem Nachnamen. Was für ein Ungeheuer! Das Untier vom Busch.«
Am andern Morgen, als Pusselchen durch den Wald ging, hörte sie wieder einen entsetzlichen Lärm. Sie sah in die Höhe, und wahrhaftig, da flog wieder ein junger Mann durch die Luft. Mit einem lauten Krach landete er in der Krone einer Eiche, wo er stöhnend sitzen blieb. »Das Untier vom Busch!« rief er. »Das Untier mit dem Nachnamen. Es hat mich dreißig Meter hoch in die Luft geworfen. Es ist ein ganz abscheuliches Ungeheuer!«
Von da an wagte sich überhaupt niemand mehr in den Wald außer Pusselchen, die ruhig ihren Weg ging, immer langsam und immer mit gesenktem Kopf. Eines Tages setzte sie sich ans Ufer des Teiches und holte ihr Früh-

stücksbrot aus der Schultasche, Schwarzbrot mit Käse, und Pusselchen machte sich nachdenklich ans Essen. Die Krümel fielen um sie her ins Gras.

»Bitte nicht auf meinen Kopf«, wisperte eine feine Stimme neben ihr. Pusselchen sah zur Seite, um herauszufinden, wer da zu ihr sprach.

Es war ein niedliches weißes Blümchen, und obendrauf lag ein Stück Käserinde.

»O Verzeihung«, sagte Pusselchen und nahm die Käserinde weg.

»Danke schön«, sagte die Blume.

»Hast du das Untier mit dem Nachnamen schon mal gesehen?« fragte Pusselchen.

»Natürlich«, sagte die Blume. »Es ist ja mit mir verwandt.«

»Das kann doch nicht sein«, sagte Pusselchen verwundert.

»Doch, doch, ich hab ja einen ganz ähnlichen Namen.«

»Ach«, rief Pusselchen, »wie dumm von mir. Du bist ja das Buschwindröschen. Und du kennst also das Untier vom Busch gut?«

»Na ja, gut ...« sagte die Blume. »So sehr gut nun auch wieder nicht. Aber ich weiß bestimmte Dinge von ihm: Ich weiß, es wird wütend, wenn es angegriffen wird. Ich weiß, dass es rasend ist, wenn die Männer versuchen, es zu fangen.«

»Das weiß ich auch«, sagte Pusselchen. »Ich hab sie durch die Luft fliegen sehen. Und wie!«

»Ich weiß aber noch mehr«, sagte das Buschwindröschen. »Ich weiß, dass es weinen muss, wenn ihm einer traurige Lieder vorsingt. Dann wird es sanft wie ein Lamm, dann kann man es an einem dünnen Strick führen, wohin man will.«

»Danke«, sagte Pusselchen. »Ich will es mir merken.« Sie pickte die letzten Krümel vom Papier und aß sie auf. »Auf Wiedersehen«, sagte sie und ging in die Schule.

Und am selben Nachmittag stand sie im Wald plötzlich vor dem Untier vom Busch. Weil Pusselchen immer auf den Boden guckte, sah sie zuerst seine Füße. Es waren unglaublich große, haarige Füße mit scharfen Krallen.

Langsam hob Pusselchen den Kopf und sah seinen Körper, einen ungeheuer großen Körper, sicher so groß wie der von einem Elefanten, und ganz bedeckt mit rauem, rostrotem Haar. Pusselchen legte den Kopf in den Nacken und sah den Kopf des Untiers. Und dieser Kopf war das Furchtbarste. Sie sah drei Hörner und ein weit aufgerissenes Maul mit messerscharfen Hauern, lange Schnurrbarthaare wie die von einem Tiger und eine gerunzelte Nase wie von einem bösen Hund. Seine Augen waren zornig. Es schnaubte und riss das Maul noch weiter auf. Ganz sicher hatte es die Absicht, nichts von Pusselchen übrig zu lassen.

Zitternd stand sie vor ihm, aber sie hatte nicht vergessen, was das Buschwindröschen ihr erzählt hatte. Und mit

bebender Stimme begann Pusselchen zu singen. »Lämmlein, was irrst du so einsam dahin ...« sang sie. »Über die Heide, die Heide ...«
Es war ein Lied, das die Mutter ihr früher vorgesungen hatte, als sie noch klein war. Sie hatte immer darüber geweint, weil es ein so trauriges Liedchen war.

Ein bisschen zittrig, aber doch mit heller Stimme sang Pusselchen das ganze Lied bis zum letzten Vers, und das große Untier vom Busch klappte das Maul zu, seine Augen wurden traurig, und große Tränen rollten ihm über die rauen Backen.

Als das Lied zu Ende war, begann Pusselchen von Neuem und holte unterdessen einen Strick aus der Tasche und band ihn dem Untier mit dem Nachnamen um den Hals. Singend führte sie es hinter sich her, und es ging willig mit wie ein Lamm. Singend führte sie es aus dem Wald heraus und durch das Dorf. »Hilfe! Das Untier vom Busch!« kreischten die Mädchen und flüchteten auf die Dächer.

Aber Pusselchen zog ruhig singend weiter, bis sie zum Palast des Königs kam, wo jeder sich versteckte unter den goldenen Stühlen und hinter den vergoldeten Schränken. Jeder – außer dem König.

»Mein Kind«, sagte er gerührt, »du hast das Untier mit dem Nachnamen gefangen.«

»Sie dürfen es aber nicht umbringen«, sagte Pusselchen.

»Nein«, sagte der König. »Es soll einen eigenen Park bekommen. Und du kriegst die Hälfte des Königreiches und darfst die Prinzessin heiraten.«

»Unsinn«, sagte Pusselchen. »Ich bin doch selbst ein Mädchen.«

»Ach so«, sagte der König, »das stimmt ja. Also dann darfst du den Prinzen heiraten.«

»Erst vorzeigen«, sagte Pusselchen. Aber als sie den Prinzen sah, sagte sie: »Okay!«
Und so wurde Pusselchen Königin, und das Untier vom Busch lebte in einem Park hinter dem Palast. Jeden Tag sang Königin Pusselchen ihm das Lied vom Lämmchen vor. Dann bekam das Untier Tränen in die Augen und legte der Königin den hässlichen Kopf in den Schoß.
Und sowohl die junge Königin als auch der junge König liebten das Tier mehr als alle ihre Minister zusammen. Und das will etwas heißen.

Die seltsame Jungfer Bock

Der Bürgermeister saß in seinem Arbeitszimmer auf einem reich geschnitzten Barocksessel. Er drückte auf den Klingelknopf und sagte zu dem eintretenden Bürodiener: »Wie viel Personen sitzen denn noch im Wartezimmer, die mich sprechen wollen?«
»Nur eine, Herr Bürgermeister«, sagte der Bürodiener. »Eine alte Dame. Allerdings, ob Dame ...« fügte er hinzu.
»Wieso: ob Dame?« fragte der Bürgermeister.
»Sie sieht nicht so sehr nach Dame aus«, sagte der Bürodiener.
»Sie soll hereinkommen.«
Die Dame, die nicht so sehr nach Dame aussah, trat ein. Sie sah vor allem schlampig aus. Sie sah so aus, als ob sie vier Wochen lang in einem ausgetrockneten Graben geschlafen hätte. Ihr graues Haar sah so aus, als ob gerade eine Taube darin gebrütet hätte. Durch die staubigen Brillengläser blitzten zwei scharfe Augen den Bürgermeister an.
»Ich bin Jungfer Bock«, sagte sie. »Und man will mich zwingen, mein Haus zu verlassen.«

»Na, na«, sagte der Bürgermeister freundlich, »das glaub ich nicht. In dieser Stadt wird niemals jemand aus dem Haus gesetzt.«

»Ach, wirklich?« sagte Jungfer Bock.

»Nein«, sagte der Bürgermeister.

»Ich wohne in der Stoofstraße«, sagte die alte Dame.

»Ach so, das ist dann ein besonderer Fall«, sagte der Bürgermeister. »Diese ganze Straße wird abgerissen, weil da ein großes Hotel gebaut werden soll. Tja, daran ist nun nichts zu ändern. Das ist Gemeindepolitik.«

»Und wo soll ich wohnen?« fragte Jungfer Bock.

»Sie bekommen eine andere Wohnung zugewiesen«, sagte der Bürgermeister. »In einer guten Gegend. In einem modernen Hochhaus.«

»Ich will aber nicht in eine andere Gegend«, sagte Jungfer Bock energisch. »Ich wohne schon seit vierzig Jahren in der Stoofstraße, und ich will auch nicht in eine moderne Etagenwohnung. Da könnte ich mich nie zu Hause fühlen.«

»Tja«, sagte der Bürgermeister. Er spürte plötzlich, wie müde er war. Dreizehn Menschen hatte er an diesem Morgen angehört, und alle hatten sie etwas von ihm gewollt. Er sah heimlich auf die Uhr ... Und ich bin mit dem Pfarrer verabredet, dachte er. Bestimmt wartet er schon auf mich. Wir wollten eine Partie Dame zusammen spielen, denn es ist Donnerstag. Er seufzte.

»Wo soll eine Frau wie ich also hin?« fragte Jungfer Bock.
»Tja«, sagte der Bürgermeister noch einmal. »Sehen Sie, meine werte Jungfer Bock, es ist sehr unvernünftig von Ihnen, dass Sie nicht in eine moderne Etagenwohnung wollen. Sie bekommen eine Musterküche, einen Müllschlucker, einen Lift und Zentralheizung.«
»Das brauch ich alles nicht«, sagte Jungfer Bock. »Ich will es gar nicht haben. Lieber würde ich in einem Mauseloch wohnen.«
»Gut«, sagte der Bürgermeister. »Dann gehen Sie meinetwegen in ein Mauseloch. Guten Morgen.« Es blieb still. Jungfer Bock kniff die Augen zusammen und sah den Bürgermeister lange nachdenklich an. Ihm wurde ganz heiß, er fühlte sich höchst unbehaglich.
»Und wo soll ich ein Mauseloch finden?« fragte sie.
Ihre Stimme hatte einen drohenden Klang. Sie sieht wie eine alte Hexe aus, dachte der Bürgermeister. »Hören Sie mal«, sagte er, »das mit dem Mauseloch, das war natürlich nur ein Scherz. Sie ziehen ganz brav in die neue Wohnung, und dann werden Sie schon sehen ...«
Aber Jungfer Bock stand auf und ging zur Tür. Sie hatte ein Kleid an, das über und über mit Fledermäusen bedruckt war, und auf ihrem Rücken hing ein Spinngewebe.
An der Tür drehte sie sich noch einmal um und sagte: »Ich glaube, es ist besser, dass *Sie* ein Mauseloch suchen. Nicht

für mich, sondern für sich selbst.« Damit zog sie die Tür hinter sich zu, und der Bürgermeister war allein.
Er wischte sich die Stirn mit dem Taschentuch ab und sagte: »Uff, für so was ist man nun Bürgermeister. Ich muss doch sehen, wo das verrückte Frauenzimmer hingeht.« Er ging ans Fenster und sah, wie Jungfer Bock aus der Tür kam, und entdeckte dabei, dass wirklich eine Taube in dem wirren Haarschopf brütete. Gebannt blieb der Bürgermeister stehen. Er hätte sich nicht gewundert, wenn sie auf einem Besenstiel davongeflogen wäre, aber sie stieg in ein uraltes Auto und brauste viel zu schnell mit blökendem Gehupe davon.
»Puh«, sagte der Bürgermeister. »Ein sonderbares Geschöpf. Und jetzt – zum Pfarrer.« Er wandte sich um und wollte zu seinem Sessel zurückkehren. Aber der kurze Weg vom Fenster bis zum Sessel war so fürchterlich lang geworden. Und der Sessel selbst war riesig. Der Bürgermeister konnte sich nicht mehr auf den Beinen halten. Er fiel nach vorn und kroch auf Händen und Füßen weiter. Händen? Es waren keine Hände, es waren Pfötchen. Der arme Bürgermeister sah sich ratlos um, und sein Blick fiel auf den großen Spiegel, in dem man das ganze Zimmer sehen konnte. Auch sich selbst konnte er sehen. Eine Maus! Er hatte sich in eine Maus verwandelt.
»Es war also doch eine Hexe«, sagte er. »Was soll ich jetzt nur anfangen? Heute Abend muss ich eine Rede halten.

Wie macht man das denn als Maus?« Er räusperte sich und versuchte, wie es klang: »Mitbürger ...« rief er, aber alles, was herauskam, war ein ängstliches Piepsen.
Als er es eben noch einmal versuchen wollte, ging die Tür auf, und seine Frau kam herein. »Hermann«, rief sie. »Hermann, wo bist du denn?«
»Hier«, piepste Hermann und lief auf sie zu.
Die Frau Bürgermeister guckte auf den Boden. »Wrrr – grrr – jeh – Hilfe!« schrie sie und stand im Handumdrehen auf dem geschnitzten Sessel. »Eine Maus!«
»Liebling, so hör mich doch an«, sagte der Bürgermeister und versuchte, am Stuhlbein in die Höhe zu klettern, mit dem einzigen Erfolg, dass seine Frau noch lauter schrie. Wieder ging die Tür auf, und Leute kamen herein. Der Bürodiener, die Putzfrau und seine beiden Kinder.
»Eine Maus!« kreischte seine Frau.
Die Kinder ließen sich auf den Boden fallen und haschten jauchzend nach der Maus, die mit klopfendem Herzen unter den antiken Schrank flüchtete. »Ich bin euer Vater«, rief er, »so glaubt mir doch, ich bin wirklich euer Vater.«
»Holt die Falle«, sagte seine Frau. »Holt sofort die Falle vom Boden. So können wir die Maus nicht fangen, aber wir legen ein Stück Käse in die Falle, dann haben wir sie morgen.«
Die ganze Nacht saß der arme Bürgermeister unter dem Schrank. Er sah die Mausefalle mitten im Zimmer und

dachte lange und tief nach. Vielleicht ist es besser, dachte er, wenn ich in die Falle gehe. Freiwillig. Sie werden die Falle aufheben und mir in die Augen sehen ... Und wenn ich auch nicht sprechen kann, vielleicht erkennen sie mich doch. An meinen Augen. An meinem ganzen Verhalten.

Mit offenen Augen ging der Bürgermeister in die Falle. Er hörte das Türchen zuschnappen, und nachdem er einen Augenblick überlegt hatte, aß er den Käse auf.

Am andern Morgen um acht Uhr kam seine Tochter Tine, um nach der Falle zu sehen. »Sie sitzt drin«, rief sie. »Sie sitzt in der Falle. Oh, was für ein Schätzchen! Ihre Kehle klopft vor Angst.«

Das klappt gut, dachte der Bürgermeister, sie sagt Schätzchen zu mir. »Ich bin dein Vater, Tineken«, rief er.

»Das arme Kerlchen piepst«, sagte Tineken. »Was machen wir nun mit ihm?«

»Puh, was für ein ekelhaftes Biest«, rief ihre Mutter, die zwei Meter entfernt stehen geblieben war. »Wir müssen sie natürlich ertränken.«

Dem Bürgermeister wurde eiskalt vor Schreck. »Du wirst mich doch nicht ertränken, Frau?« rief er.

»Wie abscheulich sie piepst«, sagte die Mutter. »Wer traut sich, das Tier in der Gracht zu ertränken?«

Zum Glück war niemand im Haus, der sich traute. Alle fanden es grausig, auch Jan, der Sohn.

»Da kommt gerade der Briefträger«, sagte die Frau Bürgermeister. »Briefträger, hören Sie mal zu, wir haben eine Maus gefangen. In dieser Falle. Uns graut davor, sie zu ertränken. Würden Sie das vielleicht für uns tun? Sie bekom-

men auch eine von den besten Zigarren meines Mannes.«
So ist's recht, dachte der Bürgermeister bitter. Verschenk du nur meine besten Zigarren an den, der mich ersäuft!
»Ich rauche nicht«, sagte der Briefträger. »Aber geben Sie mir nur die Falle.«
»Vielen Dank«, sagte die Frau Bürgermeister erleichtert, und ihr armer Mann verschwand samt der Falle in der Posttasche.
»Ertränken«, sagte der Briefträger unterwegs. »Nein, ich ertränke keine Tiere.«
»Braver Kerl!« jubelte der Bürgermeister.
»Für unsere Katze wärst du ein feiner Happen«, fuhr der Briefträger fort.
»Bitte, bitte ...« flehte der Bürgermeister.
»Aber ich weiß etwas viel Lustigeres«, sagte der Briefträger. »Ich steck dich beim Pfarrer in den Briefkasten. Er behauptet immer, ich brächte ihm seine Post zu spät. Da sind wir schon, hier ist das Pfarrhaus.«
Vor der Tür machte er die Falle auf und griff vorsichtig nach der Maus.
»Untersteh dich, mich zu beißen«, sagte er.
»Ich beiße keine Briefträger«, sagte der Bürgermeister. Und schon rutschte er durch den Briefschlitz. Und weil es wirklich nur ein Schlitz war, fiel der Bürgermeister in den Flur. Er rannte so schnell er konnte an der Wand entlang, um ein Loch zu finden, in dem er sich verstecken konnte.

Nirgends war ein Spalt, und so flüchtete er in eine Stube. Es war die Studierstube, wo der Pfarrer saß und mit sich allein Dame spielte.
Er wartet immer noch auf mich, dachte der Bürgermeister. Soll ich ganz laut piepsen? Ach nein, er erkennt mich natürlich auch nicht. Aber was für ein herrliches Bücherregal, ich werde mich zwischen die Bücher setzen. Er fand eine Höhle zwischen der Bibel und einem Kochbuch. Und weil er schrecklichen Hunger hatte, begann er an dem Kochbuch zu nagen. Er aß eine halbe Seite mit einem Rezept für Bohnen mit Champignons. Es schmeckte nicht sehr nach Champignons, und er machte sich an das Alte Testament. Als er die Schöpfungsgeschichte fast auf hatte und eben einen Bissen Hiob nehmen wollte, entdeckte ihn der Pfarrer. Er schrie nicht, denn er war ein bedachtsamer Mann; er holte die große rote Katze in die Studierstube, faltete die Hände und wartete.
»Das ist gemein von dir, mein Freund«, sagte der Bürgermeister. »Wo wir doch immer zusammen Dame spielen!«
Aber der Pfarrer verstand ihn nicht, und die große rote Katze fuhr mit einer Vorderpfote zwischen die Bücher, während die Maus ratlos nach einer Öffnung suchte. Wenn doch nur ein Loch in der Wand wäre, oh, wenn doch nur ein Loch ... dachte der Bürgermeister. Und gerade, als die Katze die Geduld verlor und sich mit dem ganzen Körper hinter die Bücher zwängte, sah er einen schmalen Spalt,

durch den er sich hindurchwinden konnte. Er fiel in eine Vertiefung an der anderen Seite der Wand, wo zwei scharfe Äuglein ihn anstarrten.

»Was soll denn das?« fragte die graue Mäusin, die dort saß.

»Verzeihung«, sagte der Bürgermeister, dankbar, dass er jemand gefunden hatte, mit dem er sprechen konnte. »Sie sind Frau Maus, nicht wahr?«

»Witwe Maus«, sagte sie.

»Der Kater hier im Haus ist hinter mir her«, sagte der Bürgermeister.

Die Witwe Maus wurde sofort freundlicher und sah ihn voller Verständnis an. »Der Rote«, seufzte sie. »Er war es, der meinen Mann im vorigen Jahr ...« Sie stockte.

»Ich verstehe«, sagte der Bürgermeister teilnahmsvoll. »Sie haben mein vollstes Mitgefühl. Wohnen Sie hier?«

»Ich wohne im Haus nebenan«, sagte die Maus. »Ich hab eine entzückende Wohnung. Kommen Sie nur mit, ich zeig sie Ihnen.«

Der Bürgermeister folgte ihr durch einen engen, dunklen Gang, und die Witwe plapperte unentwegt.

»Sie sehen gut aus«, sagte sie schließlich, »schöner Schnurrbart, fester Schwanz.«

»Danke sehr«, sagte der Bürgermeister.

»Hat Ihnen noch niemand gesagt, dass Sie einen prachtvollen Schwanz haben?«

»Eh – nein, das hat mir noch niemand gesagt.«

»Es ist aber so«, sagte sie. »Jetzt müssen wir noch dieses Brett raufklettern, dann sind wir in meiner Wohnung. Hier ist es.«

Der Bürgermeister sah sich um. Es war eine ziemlich große Höhle. Allerlei Lappen und Fetzen lagen herum, und von oben fiel ein wenig Licht herein.

»Hier sind wir dicht unterm Fußboden eines Wohnzimmers, das einem vornehmen Herrn gehört«, sagte die Witwe. »Er isst ausgezeichnet: jeden Tag Brot mit Schinken und Käse. Und der Fußboden ist so voll herrlicher Ritzen, dass mir die Krumen direkt auf den Kopf fallen. Das einzig Unangenehme ist, dass ich mich manchmal ein bisschen einsam fühle. Wollen Sie mich nicht vielleicht heiraten?«

»Hm ...« sagte der Bürgermeister und wurde sehr verlegen.

Die Witwe kicherte und sah ihn schalkhaft an, aber plötzlich hob sie das Pfötchen und sagte:

»Ssst – ich glaube, er kommt nach Hause. Der Herr, der hier oben wohnt.«

Wirklich waren schwere Schritte zu hören. Die Dielenbretter bogen sich und krachten. »Dann und wann«, sagte die Witwe Maus, »dann und wann macht mein vornehmer Herr eine Luke im Fußboden auf. Dann sehe ich seine Hand. Zuerst war ich erschrocken. Aber jetzt nicht mehr. Jetzt weiß ich, was er macht.«

»Was macht er denn?« fragte der Bürgermeister.

»Er versteckt allerlei goldene Sachen unter dem Fußboden«, sagte die Maus. »Ketten und Ringe. Sehen Sie, da liegt es. Wertloses Zeug, man kann es nicht essen, man kann es nicht riechen, da liegt der ganze Plunder.« Und sie zeigte mit einem rosigen Pfötchen.

»Donnerwetter!« sagte der Bürgermeister. Dicht neben ihm, unter einem Dielenbrett, lagen in einem wirren Haufen kostbare Gegenstände, Schmuckstücke, Ringe, sogar Brillantbroschen.

»Schön sind sie ja«, sagte die Witwe, »aber völlig nutzlos. Oh, horchen Sie, mein Herr hat Besuch. Wenn Sie sich hierhin stellen, können Sie jedes Wort verstehen.«

Der Bürgermeister stellte sich auf den Platz, den sie ihm zeigte, und horchte. Er verstand genau, was der vornehme Herr sagte.

»Heute Nacht um ein Uhr also«, sagte die Stimme. »Dann schläft sie bestimmt. Sie hat die Juwelen in einem Strumpf unter ihrer Matratze.«

»Und wenn sie aufwacht?« fragte eine andere Stimme.

»Wenn sie aufwacht, ist es um sie geschehen. Es darf absolut keinen Lärm geben, denn dicht daneben wohnt der Notar, und der hat ein Telefon und einen Hund. Halb so schlimm. Wir steigen durch die Balkontür ein, ist das klar? Und jetzt trinken wir noch ein Bier und essen ein Stück Wurst.«

»Haben Sie das gehört?« fragte der Bürgermeister mit zitternder Stimme.
»Ja, natürlich«, sagte die Witwe fröhlich. »Wurst wollen sie essen. Gleich rutschen die Wurstpellen durch die Ritzen.«
»Nein«, sagte der Bürgermeister, »ich meine den Diebstahl, den sie planen. Diebstahl und vielleicht sogar Mord! Warten Sie mal, neben dem Notar – das muss die Frau de Bruin sein. Die ist sehr reich und lebt ganz allein, ich kenne sie gut. So eine Schande! Das muss verhindert werden. Das darf nicht geschehen. Denen werde ich einen Stock zwischen die Beine werfen!«
»Was machen Sie denn?« rief die Witwe Maus erschrocken. »Sie wollen doch nicht etwa auf die losgehen?«
»Natürlich«, sagte der Bürgermeister grimmig und begann sich durch die Ritze zu arbeiten, um in die Stube zu kommen. »Tun Sie das nicht! Das ist doch gefährlich, passen Sie auf!« flehte die Witwe und versuchte, ihn am Schwanz zurückzuhalten.
»Lassen Sie mich!« schnauzte der Bürgermeister, riss sich los und drängte sich durch die Ritze. Nun stand er dicht neben dem Stuhl des Einbrechers. In seiner Entrüstung hatte er ganz und gar vergessen, dass er nur eine kleine, unbedeutende Maus war. Er stellte sich auf die Hinterbeine und rief: »Als Chef der Polizei befehle ich Ihnen, mir zu folgen! Sie sind verhaftet!«
»Oh, eine Maus«, sagte der eine Gauner verwundert.

»Und wie sie piepst«, sagte der andere. »Warte!« Er stand auf, ergriff seinen Stuhl mit beiden Händen und schlug damit nach dem Bürgermeister, der immer noch nicht flüchtete.

»Wagen Sie es nicht, mich anzurühren«, piepste er schrill, aber der zweite Schlag traf, und die arme Maus lag totenstill.

»Hopp!« sagte der Mann, ergriff die tote Maus am Schwanz und schleuderte sie mit einem Schwung zum Fenster hinaus. Da lag der Bürgermeister nun in der Gosse. Aber tot war er nicht, nur bewusstlos. Ein dünnes Rinnsal Gossenwasser floss über ihn hin, und durch die Kühle kam er zu sich.

»Ich will mein Frühstück im Bett ...« murmelte der Bürgermeister. »Zwei Scheiben Toast mit Butter und Zucker und ein Glas Orangensaft. Nanu, mein Betttuch ist ja ganz nass, oder ist es mein Schlafanzug? Und was hab ich denn da am Rücken? Das ist ja wie ein Schwanz. Ach, stimmt ja, ich bin ja eine Maus.«

Er reckte sich hoch und sah sich um. Auf der einen Seite gingen Leute, auf der anderen fuhren Autos.

»Leute!« rief er. »Ich bin Ihr Bürgermeister!« Aber durch den Autolärm konnte niemand das Piepsen einer kleinen Maus hören. Nur ein Hund hörte ihn, ein großer brauner Hund, der neugierig schnüffelnd und schwanzwedelnd angelaufen kam. »Wrrruff«, sagte er, als er die Maus sah.

»Auch das noch«, jammerte der Bürgermeister und rannte durch die Gosse.
»Wruff«, sagte der Hund und kam mit ausgelassenen Sprüngen auf die Maus zu, die in ihrer Angst ganz kopfscheu nach einem Loch suchte, in dem sie verschwinden konnte. Sie fand einen Rost, durch den sie blitzschnell in einen Keller kroch. Keuchend und zitternd blieb sie in dem dunklen Kellerloch sitzen, während der Hund noch ein bisschen bellte und dann gleichgültig weiterlief.
»Ich hab nicht gewusst, dass ein Mauseleben so unbeschreiblich traurig ist«, sagte der Bürgermeister. »Traurig und noch viel nervenaufreibender als das Leben eines Bürgermeisters. Und jetzt rieche ich gebratenen Speck. Es kommt von oben. Und ich hab so einen schrecklichen Hunger; ich geh einfach die Kellertreppe rauf, und es ist mir gleich, wo ich hinkomme.«
Er lief die Treppe hinauf und folgte dem Geruch des gebratenen Specks bis in eine kleine Küche. Die war so unbeschreiblich unordentlich, dass er sich bequem hinter einem Korb Möhren verstecken konnte.
Hier bleibe ich vorläufig, dachte der Bürgermeister. Es lebe das Gerümpel! Wir Mäuse fühlen uns am wohlsten, wo viel Gerümpel herumliegt. Was für eine herrliche Küche. Aber ich sehe zwei Füße hin und her gehen. Damenfüße in karierten Pantoffeln. Er hörte eine Schranktür knarren und Geschirr klirren. Da wurde ihm plötzlich

eine Schüssel mit ein paar Brocken Speck dicht vor die Nase gestellt.
Lieber Himmel, sollte das für mich sein? dachte der Bürgermeister. Oder ist vielleicht eine Katze in der Nähe? Aber ich rieche keine Katze. Der Duft des heißen Specks

war so nah und so verführerisch. Die Füße waren noch da, aber sie wandten ihm die Fersen zu. Sie steht am Fenster, dachte die Maus. Ich wage es. Und sie schlang gierig das erste Stückchen Speck hinunter. Sofort begann die Küche sich zu drehen, und dem Bürgermeister wurde so schwindlig, dass er die Augen schließen musste. Als er sie wieder öffnete, sah er, dass er sich mit zwei Händen auf den Rand des Ausgusses stützte. Jawohl, Hände. Zwei richtige, echte Hände.

»Wie nett von Ihnen, Herr Bürgermeister, dass Sie mich mal besuchen«, sagte die Dame, der offenbar die Füße gehörten.

Der Bürgermeister fuhr herum, und da stand sie. Die Jungfer Bock.

»Ist das nicht eine hübsche Wohnung?« fragte sie. »Und

ist es nicht eine nette Straße, in der ich wohne? Sehen Sie nur mal aus dem Fenster! Die Stoofstraße.«
Er sah aus dem Fenster. Es war wirklich eine sehr nette Straße. »Ich – eh –, ich war eine Maus ...« sagte er.
»Eine Maus? Wieso eine Maus?« fragte Jungfer Bock verblüfft. »Sie sind der Bürgermeister, und Sie sind gekommen, um sich mein Häuschen anzusehen. Es wäre doch schlimm, wenn es abgerissen würde, nicht wahr?«
Sie starrte ihn mit ihren scharfen Augen an, und der Bürgermeister fühlte sich so voller Freude, dass er lachen musste.
»Natürlich, Jungfer Bock«, sagte er. »Ich denke gar nicht daran, diese Häuser abreißen zu lassen. Sie können ruhig wohnen bleiben.«
»Das wäre also in Ordnung«, sagte sie vergnügt. »Darf ich Ihnen jetzt eine gute Tasse Kaffee kochen?«
»Tausend Dank«, sagte der Bürgermeister, »ich sehne mich ordentlich danach. Moment mal!«
»Was haben Sie denn?« fragte Jungfer Bock.
»Oh«, rief er. »Ich muss sofort weg, ich muss sofort ...«
»Ich verstehe«, sagte Jungfer Bock. »Ich bringe Sie mit meinem Auto nach ... Wo wollen Sie denn hin?«
»Zum Polizeibüro«, sagte der Bürgermeister. »Es eilt.«
Eine Stunde später waren die beiden Gauner hinter Schloss und Riegel, und der Bürgermeister saß auf seinem Barocksessel und rauchte eine Zigarre.

Seine Frau fing zum vierten Mal an zu jammern: »Zwei Tage bist du weg gewesen, und du willst mir nicht mal sagen, wo du gewesen bist! Was soll ich nur davon denken? Wo also bist du gewesen?«
»Zuerst beim Pfarrer«, sagte ihr Mann.
»Das ist nicht wahr!« rief sie. »Er hat mit dem Damespiel auf dich gewartet, und du bist nicht gekommen.«
»Und dann bei einer Witwe«, sagte der Bürgermeister.
»Bei einer Witwe? Bei was für einer Witwe?«
Ich gefiel ihr so gut, hätte der Bürgermeister fast gesagt, aber er verschluckte die Worte noch zur rechten Zeit und fuhr fort: »Und dann war ich in der Gosse. Aber das soll natürlich nur ein Witz sein.«
»Ich finde den Witz überhaupt nicht witzig«, sagte seine Frau.
»Jetzt wollen wir aber endlich essen gehen«, sagte der Bürgermeister. »Ich möchte am liebsten gebratenen Speck.«

Der Marschall, der sein Ohr zum Horchen abnehmen konnte

Es war einmal ein König, der so reich war, dass er Austern zum Frühstück essen und seine Schweine jeden Tag mit Perlen füttern konnte. Wenn er in seiner schwarzen Kutsche mit den goldenen Rädern vorüberfuhr, verbeugten sich die Menschen bis in den Staub.

Manchmal sagte ein Kind: »Aber er hat gar kein hübsches Gesicht, Mutter.«

Dann erschrak die Mutter und flüsterte: »Ssst, das darfst du nicht sagen.«

»Warum denn nicht?« fragte das Kind. »Der König kann es doch nicht hören.«

»Nein«, sagte die Mutter. »Aber der König hat einen Marschall, der legt sein Ohr zum Horchen hin.«

Und so war es auch. Der König hatte einen Marschall, der konnte sein linkes Ohr abschrauben. Ohne dass es jemand merkte, legte er das Ohr dann zwischen Sträucher und Büsche dicht unter das Fenster eines Hauses. Dann ging er weg und ließ das Ohr liegen. Ein paar Tage später holte er sich sein Ohr, schraubte es wieder an und horchte. »Ah ...«

sagte er mit glitzernden Augen. »Majestät, in dem Haus hat man schlecht von Ihnen gesprochen.«
»Was haben sie denn gesagt?« fragte der König.
»Sie haben gesagt, Sie seien ein widerwärtiger, elendiger Schuft, Majestät.«
»Lass sie allesamt aufhängen«, rief der König. Dann wurden die Menschen aus dem Haus gefangen genommen und im Kirschgarten hinter dem Palast aufgehängt. Die Gerippe baumelten zwischen den Kirschblüten und klapperten im Wind. Immer mehr und mehr kamen dazu, denn das Ohr des Marschalls fing alle Gespräche auf, und der König erfuhr genau, wer Schlechtes über ihn sagte. Und man kann sich darauf verlassen, dass es viele waren, sehr viele.
Eines Tages lustwandelte die junge Prinzessin im Park unter den grausigen Kirschbäumen und kam totenbleich nach Hause, denn sie hatte das Schreckliche vorher noch nie gesehen. Der König begriff sofort, warum sie so entsetzt war, und versuchte sie zu beruhigen. »Hier«, sagte er, »mein liebes Kind, hier hast du ein silbernes Teeservice. Spiel damit und sei glücklich.«
Aber die Prinzessin konnte nicht glücklich sein. Sie wurde immer blasser und blasser, immer stiller und stiller. Sie musste unaufhörlich an die Gerippe im Kirschgarten denken. Endlich konnte sie überhaupt nicht mehr lachen, und der König machte sich Sorgen. »Der Bärenführer soll kommen«, sagte er. »Der Bär soll auf dem Seil tanzen!«

Am Abend kam ein junger Mann mit einem Bären, der seiltanzen konnte. Der ganze Hof schaute zu. Hoch oben im Thronsaal war ein Seil von Pfeiler zu Pfeiler gespannt worden, und der Bär tanzte von der einen Seite auf die andere, mit einer Stange zwischen den Vorderpfoten. Es war wundervoll, und alle jubelten und klatschten, auch die Prinzessin, die zum ersten Mal wieder lauthals lachte.
Als die Vorstellung zu Ende war, kniete der Bärenführer vor der Prinzessin nieder und überreichte ihr ehrerbietig eine weiße Taube. Sie errötete, nahm die Taube an und gab ihm einen Kuss auf die Stirn. Sie fand ihn sehr nett.
Als der König das sah, wurde er wütend und flüsterte dem Marschall zu: »Leg heute Nacht dein Ohr zum Horchen zu dem Bärenführer.«
Er hatte es ganz leise gesagt, aber die Prinzessin hatte es doch gehört, und als sie im Bett lag, konnte sie nicht schlafen und dachte: Was soll ich nur tun, um den Bärenführer zu retten?
Inzwischen war der Bärenführer nach Hause gegangen in das Gasthaus, in dem er immer schlief, und der Marschall war ihm durch die engen, dunklen Gassen der Stadt gefolgt. Als der Bärenführer sich im Stall des Gasthauses niederlegte, den Kopf auf dem weichen, wolligen Fell des Bären, stand der Marschall bereits draußen, schraubte sein Ohr ab und legte es zum Horchen dicht unter das Stallfenster ins hohe Gras zwischen den Sträuchern.

Drinnen im Stall plauderte der Bärenführer mit seinem Bären. »Ach, lieber Bär«, sagte er, »ich hab mich in die schöne Prinzessin verliebt und möchte sie gern heiraten. Aber das wird mir nie gelingen, denn ihr Vater ist ein abscheulicher Mann. Ein Tyrann, ein Ungeheuer, ein Schurke.«

Draußen vor dem Fenster fing das Ohr alles auf. Der Marschall aber ging in den Palast zurück, wo der König mit einem goldenen Leuchter in der Hand oben auf der Treppe auf ihn wartete. »Na?« fragte der König.

»Ich hab mein Ohr zum Horchen dicht unter sein Fenster gelegt«, sagte der Marschall. »Morgen hole ich es. Dann höre ich, was er gesagt hat, Majestät.«

»Schön«, sagte der König, »und wenn er etwas Schlechtes über mich gesagt hat, hängen wir ihn an den dreizehnten Kirschbaum von links.«

Obwohl der König und der Marschall flüsterten, hatte die Prinzessin es doch gehört, denn sie stand in ihrem Spitzennachthemd in der dunkelsten Ecke der Halle. Sie schlich in ihr Zimmer zurück, streichelte die Taube, schrieb ein winzig kleines Briefchen und band es der Taube an einen Fuß. Dann ließ sie den Vogel aus dem Fenster.

Die Taube flog direkt zum Gasthaus. Der Bärenführer erwachte durch das Flügelschlagen, las den Brief und erschrak furchtbar. Denn da stand, dass das Ohr des Marschalls irgendwo ganz nahe beim Gasthaus liege und horche.

Er sprang auf und zog den Bären an seiner Kette mit hinaus.

»Lieber Bär«, flüsterte er, »such das Ohr im Gebüsch, such das Ohr!«

Der Bär tappte schnuffelnd um das ganze Haus herum. Er schnuffelte und schnuffelte mit seiner scharfen Bärennase und folgte dem Geruch das ganze Gebäude entlang bis unter das Stallfenster. Dort blieb er stehen, sah seinen Herrn an und brummte zornig.
»Liegt es da?« fragte der Bärenführer. »Oh, ich sehe es, ein großes, rosiges Ohr – das Ohr des Marschalls. Leute, Leute, ich hab das Ohr des Marschalls gefunden!«
Alle wurden wach von dem Geschrei, die Menschen stürzten aus den Häusern und betrachteten verwundert das Ohr, das der Marschall zum Horchen niedergelegt hatte.
»Habt ihr es alle gut gesehen?« fragte der Bärenführer. »Dann los, mein Bärchen!«
Der Bär riss den ungeheuren Rachen auf und verschlang das Ohr mit einem Haps. Alle jubelten und trugen den Bärenführer auf den Schultern durch die Stadt. Immer mehr Menschen strömten zusammen und zogen hinter ihm her zum Palast, wo der König gerade am Fenster saß, Tee trank und natürlich – Austern aß. Neben ihm saß der Marschall und horchte mit dem rechten Ohr, dem Einzigen, das er hatte.
Er wurde totenblass. »Hören Sie, was die Leute rufen, Majestät?«
»Nein«, sagte der König. »Was denn?«
»Sie rufen: ›Hurra, der Bär hat das Ohr des Marschalls gefressen!‹«

»O weh«, sagte der König, »dann kommen sie mit Lanzen und Piken und Heugabeln und Messern! Das gibt einen Aufstand! Komm schnell, bevor es zu spät ist!«
Der König und sein Marschall entwischten durch die Hintertür und flüchteten durch den Kirschgarten mit den baumelnden Gerippen.
Als der Bärenführer mit seinem Bären und dem gesamten Volk in den Palast eindrang, fanden sie nur die Prinzessin, und sie empfing ihn mit ihrem schönsten Lächeln.
Sie wurden Mann und Frau, und der Bärenführer wurde König. Die Kirschbäume wurden umgehauen und die Gerippe anständig begraben. Der Bär bekam ein eigenes Bett im königlichen Schlafgemach. Er schnarchte, aber der König und seine junge Gemahlin lächelten im Schlummer.

Das Summervolk

Es war einmal ein kleines Mädchen, das hieß Liefje und wohnte im obersten Stock eines Hochhauses. Eines Morgens wurde Liefje sehr früh wach, zog sich an und fuhr mit dem Fahrstuhl nach unten. Da es noch so früh war, blieb sie ganz allein im Fahrstuhl und wartete darauf, dass er hielt. Aber – und das war sonderbar – er hielt nicht. Er sank tiefer und tiefer und hielt nicht. Und dann entdeckte Liefje im Halbdunkel, dass doch noch jemand im Fahrstuhl war: ein großer schwarzer Maulwurf mit einer silbernen Kette um den Hals. Er brummte leise vor sich hin: »Darf ich Sie alle herzlich willkommen heißen! Hurra!«

»Vielen Dank«, sagte Liefje. »Aber ich bin nicht alle, ich bin es nur ganz allein.«

»He«, sagte der Maulwurf ärgerlich. »Du bringst mich durcheinander. Ich muss meine Ansprache vorbereiten. Ich als Grabmeister muss die Ansprache halten.«

»Entschuldigung«, sagte Liefje. »Warum dauert es so lange, bis der Fahrstuhl unten ist, Herr Maulwurf?«

»Nun«, sagte der Maulwurf, »es ist ja auch ziemlich tief.

Vierhundertfünfzig Meter! Oder sind es im Augenblick schon fünfhundert?«
»Ich versteh Sie nicht«, sagte Liefje ängstlich. »Wohin fahren wir denn?«
»Weißt du das nicht?« fragte der Maulwurf erstaunt. »Zum Summervolk natürlich. Sie sind mit den Elfen verwandt. Sie haben Angst vor Lärm. Bei jeder neuen Erfindung sinken sie fünfzig Meter tiefer in die Erde. Mit der Dampfmaschine hat es schon angefangen. Dann kamen die Autos: wieder fünfzig Meter tiefer. Bei den Flugzeugen wieder! Beim Radio und dann beim Fernsehen: immer wieder fünfzig Meter tiefer.«
»Und warum heißen sie das Summervolk?«
»Weil sie summen«, sagte der Maulwurf. »So.« Er machte sein Schnäuzchen zu und summte ganz grässlich. »Natürlich klingt es schöner, wenn sie summen«, sagte er. »Und ihr König heißt Mimander. Er hat heute Hochzeit. Daher die Ansprache.« Und der Maulwurf begann wieder eilig vor sich hinzumurmeln: »Darf ich Sie alle herzlich willkommen heißen! Hurra!«
»Wen heiratet denn der König?« fragte Liefje. Aber bevor der Maulwurf antworten konnte, hielt der Fahrstuhl mit einem leichten Zittern. Der Maulwurf drückte die Tür auf, und sie standen in einem zauberhaften Wald, wo die Sonne in tausend Lichtern zwischen den Zweigen auf den Blättern tanzte. Das Gras war blau, und dort standen zwei

Thronsessel aus Eierschalen. König Mimander saß auf dem einen. Er trug einen Pelzmantel aus Hummelfellen, und das Summervolk saß um ihn herum. Sie hatten grüne, wehende Locken, und ihre Ohren waren spitz und haarig wie die der Füchse, aber ihre Augen waren groß und sanft. Der Maulwurf verneigte sich nervös und begann sofort mit seiner Ansprache: »Darf ich Sie alle herzlich ...«
»Warten Sie noch«, sagte der König. »Nicht so hastig, Grabmeister. Ich sehe, Sie haben meine Braut mitgebracht.«
»Ist sie die Braut?« fragte der Maulwurf erschrocken. »Das wusste ich nicht.« Er verbeugte sich vor Liefje.
»Komm, setz dich neben mich«, sagte der König und wies auf den Thron an seiner Seite.
»Ich, eh – ich muss nach Hause«, stammelte Liefje. Sie fürchtete sich. Sie wollte den grünhaarigen kleinen König nicht heiraten. Sie wollte weglaufen, aber Mimander nahm sie bei der Hand und sagte: »Natürlich darfst du gehen. Aber vorher soll mein Volk für dich summen.«
Er hob seinen Stab, und das Volk begann zu summen. Es war eine Melodie, die alles überspülte wie eine warme Woge, die betäubte wie Weißdornduft. Sie bewirkte, dass man alles vergaß, dass man schläfrig wurde und willenlos. Sie war süß und voller Wunder. »Willst du meine Frau werden?« fragte der König. »Dann komm zu mir!«
Beinah wäre Liefje in der Eierschale niedergesunken, aber sie dachte gerade noch zur rechten Zeit an zu Hause, an

die Eltern, an ihren Bruder. Sie riss sich los und rannte auf die Fahrstuhltür zu.

»Warte noch auf meine Ansprache«, rief der Maulwurf ihr nach, aber Liefje stürzte in den Fahrstuhl, drückte auf den Knopf und stieg pfeilschnell in die Höhe. Es dauerte lange, bis sie ankam, aber endlich hielt der Fahrstuhl doch, und sie stand vor ihrer Wohnungstür, und alles war wie immer.

Liefje erzählte niemandem, was sie erlebt hatte, aber sie konnte das Summervolk nicht vergessen. Sie sehnte sich schrecklich nach dem Summen, und am andern Morgen stieg sie wieder sehr früh in den Fahrstuhl. Wieder kam sie in den Wald zu dem Summervolk, und der König machte ihr wieder einen Heiratsantrag. Aber im letzten Augenblick riss sie sich wieder los, und so ging es jeden Tag. Niemand ahnte etwas davon außer ihrem Bruder.
Er hatte gemerkt, dass seine Schwester jeden Morgen in aller Frühe die Wohnung verließ, und war neugierig geworden. Eines Morgens wurde er früher wach als sie und beugte sich über sie. Sie summte im Schlaf vor sich hin, und er entdeckte, dass sie ganz haarige Ohren bekommen hatte wie ein Fuchs und dass ihre Zöpfe einen grünen Schimmer hatten. Er beschloss, ihr zu folgen.
Als Liefje an diesem Morgen in den Fahrstuhl ging, war er schon da. Er hockte in einer dunklen Ecke, und als sie unten im Wald ankamen, schlich er ihr nach und versteckte sich hinter einem Busch.
Es verlief wieder alles wie die vorigen Male. Das Summervolk begann zu summen, zu raunen und zu säuseln, und es war herzzerreißend süß und verlockend. Es war verlockender und verwirrender denn je, und als der König fragte: »Willst du meine Frau werden?«, da neigte Liefje den Kopf.
Mimander zog sie an sich, aber in diesem Augenblick er-

tönte ein schrilles, lautes, grässliches Geräusch, eine kreischende, grelle, metallklirrende Musik – und das ganze Summervolk verschwand.
Liefje stand in einem feuchten, dunklen, frostigen Gang, aber ihr Bruder war neben ihr und rief: »Schnell, hier ist die Fahrstuhltür!«
Noch jemand kam aus der feuchten Erde. Das war der Maulwurf, der kläglich schnaufte: »Darf ich Sie alle herzlich willkommen heißen! Hurra!«
»Komm«, sagte der Bruder und zerrte Liefje in den Fahrstuhl. Sie rauschten hinauf, aber Liefje stieß den Bruder von sich und rief schluchzend: »Du hast alles verdorben. Du mit deinem Transistorgerät! Du Ekel!«
»Liefje«, sagte er, »Liefje, hör zu. Du wärst schon fast selbst ein Summerwesen geworden. Du hattest schon haarige Ohren und grünliche Zöpfe. Liefje, du willst doch bei uns bleiben, bei Vater und Mutter? Und bei mir? Bei uns zu Hause?«
Sie sah ihn an. »Ja«, sagte sie, trocknete die Tränen ab und lachte wieder. Da hielt der Fahrstuhl im obersten Stock.
Sie gingen durch die Wohnungstür und waren zu Hause. Die Mutter schnitt Brot zum Frühstück, und als Liefje in den Spiegel guckte, sah sie, dass ihre Ohren wieder waren wie immer. Aber das Summervolk war weitere fünfzig Meter tiefer gesunken.

Das Laken mit der Krone

Man erzählt, dass die Kinder früher vom Storch gebracht wurden. Das klappte ausgezeichnet, denn damals wurden noch nicht so viele Kinder geboren wie heutzutage, und ein einziger Storch schaffte das. Dieser eine Storch hieß Frederiks.

Frederiks hatte mächtig viel zu tun, das kann man sich denken. Er fischte die Kinder aus einem Teich, dem Geburtsteich irgendwo weit weg im Süden. In diesem Teich saß jedes Baby an einem grünen Stiel und wartete schläfrig, bis der Storch es pflückte. Jahrelang ging es gut. Aber dann wurde die Welt zu voll und zu geschäftig. Immer mehr Eltern kamen, die Kinder bestellten. Frederiks machte entsetzliche Fehler. Einmal brachte er ein Kind zu einem alten Fräulein, das erschrocken zurückwich, mal eins zum Kaplan. Einmal brachte er ein Chinesenkind zu einer Frau Overschie. »Das habe ich nicht bestellt, Storch«, sagte die Dame beleidigt.

»Ach, liebe Frau«, seufzte Frederiks, »mir schwirrt der Kopf, aber ich tausche es Ihnen um.«

Als so was Ähnliches immer wieder passierte, beschlossen die Menschen, dicht am Kinderteich ein Büro einzurichten. Ein Direktor wurde ernannt, der alle Adressen sauber auf weiße Karten schrieb und auf dem Laufenden hielt. Siebenunddreißig Störche wurden eingestellt, die ihren festen Flugplan hatten und sich genau danach richteten.

Eines Tages rief der Direktor den alten Storch Frederiks zu sich und sagte: »Hör mal zu, Frederiks. Ich seh hier, dass heute ein Baby beim Herzog von Organzia abgeliefert werden muss. Es ist also ein hochgeborenes Baby, und ich muss einen zuverlässigen Storch haben, der sein Handwerk bestens versteht.«

»Ich will es gern selbst übernehmen«, sagte Frederiks. »Keiner ist so zuverlässig wie ich. Denken Sie daran, dass ich es schon fünfundzwanzig Jahre gemacht habe.«

Der Direktor sah den alten Storch, der vor ihm stand, unschlüssig an. Seine Augen waren ein wenig matt, die schwarzen Federn seiner Flügel waren fahl und grünlich wie ein fadenscheiniger Gehrock, aber seine Beine waren noch rot und stramm.

»Es wird ein mühsamer Flug«, sagte der Direktor. »Organzia liegt hinter den Bergen.«

»Ich bin an die höchsten Spitzen der Alpen gewöhnt«, sagte Frederiks bescheiden.

»Das Kind soll nicht ganz nackt auf die Reise geschickt werden«, sagte der Direktor. »Du weißt ja, dass wir fürstlichen

Kindern immer eine Ausstattung mitgeben. Ein paar Kleidchen, eine goldene Rassel, einen silbernen Becher und einen Serviettenring. Zusammen zwei Koffer.«

»Ich nehme das Kind in seinem zusammengebundenen Betttuch in den Schnabel«, sagte Frederiks. »Und ich binde mir auf jede Seite einen Koffer. Das hab ich schon oft gemacht. Beim Kaiser von China, dem Kaiser von Japan, dem Sultan von ...«

»Schon gut«, unterbrach ihn der Direktor hastig. »Dann sind wir also einig, Frederiks. Es ist das dritte Kind von rechts im Teich, und die Koffer stehen bereit.«

Eine Stunde später war Frederiks schon über der Adria. Im Schnabel trug er ein Bündel, das war das in ein gesticktes Laken gebundene Kind. Die Koffer waren mit einem Riemen auf seinem Rücken befestigt, auf jeder Seite einer. Er flog schnell, gleichmäßig und schwungvoll. Erst als er über die Berge kam, verlangsamte er den Flug, denn dort herrschte schlechtes Wetter.

Es war windig, und Flocken fielen. Der Wind wurde zum Schneesturm, der heulend um die Felsen jagte und mit eiskalten Stößen versuchte, den armen Storch von seinem Kurs abzudrängen. Geblendet durch den Schnee, flog er weiter, die langen roten Beine waren wie versteinert vor Kälte, die zerfaserten Federn steckten voll Eis, und er wurde in der Luft hin- und hergerissen und hoch- und niedergedrückt wie ein Kinderballon. Da haben wir die Bescherung, dachte Frederiks. Das wird eine Notlandung. Aber vielleicht kann ich die Hauptstadt von Organzia noch erreichen, weiter als eine Flugstunde kann es nicht mehr sein. Und er hielt durch, wenn ihm auch der Sturm das Bündel fast aus dem Schnabel riss, er flog weiter, denn diese Störche aus der alten Zeit hatten eben Pflichtgefühl.

Endlich sah er die Stadt gerade unter sich liegen, aber nun war er auch am Ende, elend und verzweifelt. Der Schneesturm nahm ihm die Sicht, sodass er den Kirchturm nicht bemerkte und mit einem furchtbaren Stoß dagegenprallte, und schon flatterte Frederiks als armseliges Häufchen Federn nach unten. Er stieß einen Schrei aus, und das Kind stürzte aus vierzig Metern Höhe hinunter.

Es purzelte, purzelte, purzelte und wäre sicher mausetot gewesen, wenn es nicht in den Hof einer Bäckerei gefallen wäre, mitten in einen Trog mit Teig. Da lag es nun im weichen Teig und schrie wie ein wildes Ferkel.

»Um Himmels willen, da ist ein Kind vom Himmel gefallen«, sagte die Bäckersfrau und rannte hinaus, um das kleine Geschöpf zu holen.

»Was für ein schönes Kind«, sagte der Bäcker, als sie damit hereinkam. »So eins hätten wir schon lange gern gehabt, was?«

»Ach ja«, sagte die Bäckersfrau. »Aber guck nur mal das Laken. Eine Krone ist hineingestickt. Das ist ein Fürstenkind, wahrscheinlich für den Herzog.«

»Meinst du, wir müssten es zum Herzog bringen?« fragte der Bäcker.
»Ach ...« seufzte die Bäckerin. »Lass es uns doch behalten. Wir verstecken es einfach.«

Zur selben Zeit ging der Herzog von Organzia in seinem Schlafzimmer hin und her, sah immer wieder auf die Uhr und sagte: »Dieser Storch hätte schon längst hier sein müssen.«
»Guck noch mal aus dem Fenster, ob er nicht kommt«, sagte die Herzogin, die ein bisschen krank auf dem Sofa lag.
Der Herzog trat auf den Balkon hinaus und blickte über das weite Tal. Der Schneesturm hatte sich gelegt, die Sonne kam durch, der Herzog sah die Felder und die Wälder und die Stadt mit dem Kirchturm, aber keinen Storch. Es wurde Abend, und es wurde Nacht, und es geschah nichts. Am anderen Morgen kam ein Reiter aus der Stadt und brachte einen Brief für den Herzog. In dem Brief stand, dass der Storch mit einem gebrochenen Bein im Krankenhaus läge.
Der Herzog machte sich sofort auf den Weg. Er fand den Storch in einem der Krankenbetten in dem großen Saal, ganz und gar verbunden und das eine Bein hoch gelegt.
»Wo ist mein Kind ...« begann der Herzog zornig, aber die Krankenschwester legte den Finger auf die Lippen: »Nicht so laut, Hoheit, er ist verletzt und sehr schwach.«

»Wo ist mein Kind?« flüsterte der Herzog.
Frederiks schlug matt die Augen auf und stammelte: »Schneesturm ... Berge.«
»Ist mein Kind in die Berge gestürzt?« fragte der Herzog.
»Nein«, murmelte Frederiks, »hier – über der Stadt. Gegen Turmspitze geflogen. Noch nie passiert – immer Pflicht getan, immer treuer Storch gewesen ...«
»Ja, ja«, sagte der Herzog ungeduldig. »Mein Kind ist also über dieser Stadt abgestürzt?«
Frederiks nickte.
»Dann ist es tot«, schluchzte der Herzog. »Aber tot oder lebendig, es muss gefunden werden. Unverzüglich lass ich die Stadt durchsuchen.«
Dreißig tüchtige Soldaten machten sich auf die Suche nach dem abgestürzten Baby. Sie fanden nur die beiden Koffer, die im Fallen aufgegangen waren. In den Gassen lagen überall Spitzenhemdchen und seidene Windeln herum, aber das Kind selbst war nicht zu finden.
»Durchsucht die Häuser«, befahl der Herzog.
Die dreißig Soldaten durchsuchten jedes Haus. Sie suchten beim Notar und beim Bürgermeister und beim Schmied. Sie schnüffelten bei allen Leuten im Keller und auf dem Boden herum, hinter der Treppe und unter dem Ausguss. Sie suchten beim Milchmann zwischen dem Käse, und sie suchten auch beim Bäcker.
»Vielleicht im Backofen«, sagte ein Soldat.

Sie rissen die Ofentür auf, aber da schlugen rote Flammen heraus, und sie begriffen, dass das Kind dort nicht sein konnte. Sie polterten die Treppe hinauf und suchten auf dem Dachboden. Da lag eine Katze mit ihren Jungen, und oben am Dachbalken hing ein Käfig mit einem Papagei, der fluchte und kreischte.

»Hier auch nicht«, sagten die Soldaten, aber als sie weg waren, holte die Bäckersfrau das Kind aus dem Papageienkäfig, wo es unter einer Lage Mais geschlafen hatte. Sie legte es in einen Pappkarton, der sein Bettchen war.

»Das Laken musst du verbrennen, hörst du«, sagte der Bäcker. »Wenn das jemand findet, sind wir verloren.«

»Gut«, sagte die Frau. Sie nahm das Laken, aber als sie die gestickte Krone sah, fand sie es zu schade, um es zu

verbrennen, faltete es zusammen und legte es in ihren Wäscheschrank.
So blieb das Kind bei dem Bäcker und seiner Frau. Niemand merkte etwas. Nur der Bäckergeselle spitzte manchmal in der Backstube die Ohren und sagte: »Es klingt, als ob da ein Kind schreit.«
»Das ist der Papagei«, sagte der Bäcker, »der schreit wie ein Kind.«
Im Schloss des Herzogs herrschten Trauer und Verzweiflung. Der Herzog hatte hunderttausend Gulden Belohnung ausgesetzt für denjenigen, der das Kind fand, sei es lebend oder tot. Aber keiner fand es.

Etwa sechs Wochen später war der Bäckergeselle Pieter dabei, Holz für den Ofen zu hacken. Dabei verletzte er sich mit dem Beil die Hand, und es blutete stark. »Hilfe!« schrie Pieter. Aber der Bäcker und seine Frau standen im Laden und hörten ihn nicht. Da lief er zum Wäscheschrank und nahm sich ein Tuch, um das Blut zu stillen. »Na, so was«, sagte er, »ein Laken mit einer Krone!«
Das Kindergeschrei fiel ihm ein, und er schlich die Treppe hinauf auf den Dachboden. »Hab ich's nicht gedacht ...« murmelte er. »Halt, wie war denn das? Hunderttausend Gulden! Die wird Pieter schleunigst einstreichen!«
Er rannte mit dem Laken in der Hand ins Schloss. »Auf dem Dachboden beim Bäcker liegt das Baby«, sagte er.

Eine halbe Stunde später standen der arme Bäcker und seine Frau mit gesenkten Köpfen im Schloss vor dem Herzog.

»Ihr habt ein schweres Verbrechen begangen«, sagte der Herzog streng. »Ich muss euch aufhängen lassen. Öffentlich auf dem Marktplatz. Übermorgen.«

Die Bäckersfrau schluchzte, der Bäcker rang die weiß bemehlten Hände.

»Einen Moment, Liebster«, sagte die Herzogin, die das Baby in den Armen wiegte. »Warum habt ihr unser Kind behalten?« fragte sie. »Ihr hättet doch hunderttausend Gulden dafür bekommen können?«

»Wir hatten keine Kinder«, weinte die Bäckersfrau. »Und dieses war so süß ...«

»Hast du das gehört?« fragte die Herzogin. »Sie sind vernarrt in unser Kind. Willst du Menschen aufhängen lassen, weil sie vernarrt in unser Kind sind?«

»Hm – br – hmmm«, hustete der Herzog und wusste nicht, was er sagen sollte.

»Ich weiß etwas Besseres«, sagte die Herzogin. »Wir essen gerne frische Brötchen. Kommt zu uns aufs Schloss als Hofbäcker und Hofbäckerin. Sorgt allezeit für gutes Brot, dann dürft ihr jeden Tag eine Stunde mit dem Baby ausfahren.« Und so geschah es.

Im Kinderbüro stand Frederiks, der Storch, in strammer Haltung vor dem Direktor. »Du hast jetzt das pensionsberechtigte Alter erreicht«, sagte der Direktor. »Es ist besser, wenn jüngere Störche deine Arbeit übernehmen. Aber für fünfundzwanzig Jahre treue Dienste ernenne ich dich hiermit zum Ritter des Ordens von der Nabelschnur.« Er steckte Frederiks eine goldene Nadel an die Brust.

»Au«, sagte Frederiks, denn es piekte ihn durch alle Federn hindurch. Aber er war doch stolz und sehr glücklich.

Das Mädchen, das seinen Namen verloren hatte

Jeden Sonntag, wenn Tom mit seinem Vater in die Kirche ging, wanderten sie an einer hohen Mauer entlang. In dieser Mauer war eine Tür. »Wohin führt die Tür?« fragte Tom.

»Aber, mein Junge«, sagte sein Vater, »hier ist doch gar keine Tür.«

Tom aber sah die Tür ganz deutlich, und eines Tages, als sein Vater mit dem Küster schwatzte, ließ Tom die Hand des Vaters los und ging hindurch.

Er tastete sich durch einen langen, dunklen Gang, bis er an eine weitere Tür kam. Als er sie öffnete, stand er in einem Zimmer. Am Tisch saß ein Mädchen. Ihr gegenüber saß ein großer Hase. Er schlug die Beine übereinander und rauchte eine Zigarette, die in einer langen Zigarettenspitze steckte. Sie spielten eine Partie Schach.

»Guten Morgen«, sagte Tom.

»Guten Morgen«, sagte der Hase. »Nimm dir einen Stuhl und setz dich hin.«

Tom setzte sich und sah das Mädchen an. Sie hatte traurige Augen, und Tom fragte: »Wie heißt du?«

Das Mädchen fing an zu weinen. Sie stand schluchzend auf und bedeckte das Gesicht mit den Händen.
»Du Nichtsnutz«, sagte der Hase. »Warum musst du gerade *das* fragen?«
»Ich, eh – ich konnte doch nicht wissen, dass sie weinen würde«, sagte Tom. »Ich hab sie doch bloß nach ihrem Namen gefragt.«
»Das ist es ja gerade«, sagte der Hase. »Sie hat ihren Namen verloren. Und wenn sie ihn nicht wieder findet, muss sie hier bleiben und Schach spielen bis in alle Ewigkeit. Wir warten darauf, dass sie angerufen wird.« Und der Hase wies mit seiner Zigarettenspitze auf das Telefon in der Ecke.
»Und wer soll sie anrufen?« fragte Tom.
»Das wissen wir nicht«, sagte der Hase. »Wir hoffen, dass eines Tages das Telefon klingeln und jemand sie mit ihrem Namen anreden wird. Wenn das geschieht, ist sie erlöst.«
»Ich will ihr gerne helfen«, stammelte Tom. »Soll ich vielleicht …?«
»Du hast sie zum Weinen gebracht«, unterbrach der Hase ihn mürrisch. »Jetzt weint sie fünfunddreißig Stunden lang. Nichtsnutz! Verschwinde!«
Tom verließ schweigend das Zimmer, ging durch den langen Gang, machte die Tür auf und stand draußen im strahlenden Sonnenschein. Sein Vater schwatzte immer noch

mit dem Küster, er hatte Tom gar nicht vermisst, und sie gingen zusammen in die Kirche.
Aber Tom konnte das Mädchen nicht vergessen. Ich darf nicht mehr zu ihr gehen, dachte er, doch ich muss versuchen, hinter ihren Namen zu kommen. Und dann muss ich sie anrufen. Und muss sie dabei mit ihrem Namen anreden. Aber wie soll ich diesen Namen jemals finden? Vielleicht heißt sie Mariechen oder Gertraud oder Ramona ... Woher soll ich das je erfahren? Nachdenklich ging er durch den Garten hinter dem Haus und entdeckte eine Kletterrose an der Scheune, eine wunderschöne rote Rose. Ein kleines Holztäfelchen steckte daneben, und darauf stand: Carmelita. Das war der Name der Rose. Vielleicht heißt sie Carmelita, dachte Tom. Sie sah wie eine Rose aus. Ich rufe sie an und sage Carmelita zu ihr. Er ging in den Flur, wo das Telefon stand. Und dort neben dem Kleiderständer auf einem Schemel saß der Hase. Er hatte die Beine übereinandergeschlagen und rauchte eine Zigarette, die in einer langen Zigarettenspitze steckte. Der Hase sah Tom nachdenklich an und sagte: »Die Nummer ist sieben Mal die Null.«
»Oh«, sagte Tom verblüfft und fing an zu drehen. Als er bei der dritten Null war, sagte der Hase beiläufig: »Aber Carmelita heißt sie nicht.«
»Oh«, sagte Tom noch einmal und legte den Hörer auf die Gabel. Er stützte den Kopf in die Hände und seufzte. »Und

wie heißt sie dann?« fragte er. Aber als er aufschaute, war der Hase verschwunden.
Traurig verließ er das Haus und irrte durch die Stadt. Von einer Straße zur anderen, bis er wieder an die Kirche kam. Dahinter lag ein vergessener Friedhof, wo der Efeu über

Kreuze und Gedenksteine wucherte. Tom schlenderte an vielen alten Gräbern vorbei und entdeckte einen Stein, auf dem stand: Judith. Elf Jahre.

Vielleicht heißt sie Judith, dachte Tom. Sie ist so traurig und so bleich wie die Steine auf dem Friedhof. Sie muss Judith heißen. Er wollte zum Tor hinaus und nach Hause laufen, um sofort anzurufen, da sah er auf einem der Grabsteine den Hasen sitzen. Mit übereinandergeschlagenen Beinen saß er da und sah ihn an: »Judith heißt sie nicht«, sagte der Hase unwirsch.

Tom ging nach Hause, und in der Nacht konnte er nicht schlafen. Er musste immerfort Mädchennamen aufsagen: Amanda und Rosalinde und Janneken und Majolein und Elisabeth. Und Esther und Godelieve und Mientje. Der Mond schien durchs Fenster, und Tom konnte es nicht mehr aushalten im Bett und ging hinunter ins Wohnzimmer. Es war dunkel, aber der Mond schien auf den kleinen alten Nußbaumschreibtisch seiner Mutter, und es kam Tom so vor, als ob er zwei Hasenohren dahinter verschwinden sähe. Er zog eine der Schubladen auf, und da lag das Notizbuch seiner Mutter.

Es war sehr alt, von ganz früher, und er blätterte darin. Dort stand: *Halb zwölf Pfarrer zum Kaffeetrinken.* Und eine Seite weiter: *Gärtner bezahlen – 2,25 Gulden.* Seine Mutter hatte da offenbar allerhand aufgeschrieben, was sie nicht vergessen wollte. Das war lange her. Tom wollte

das Büchlein schon weglegen, als sein Blick auf eine hastig hingekritzelte Zeile fiel: *Tom und Tintje Sirup holen lassen.*
Und plötzlich sah Tom es ganz deutlich vor sich: Er war noch klein, und er war mit einem Nachbarskind, das Tintje hieß, zum Einkaufen geschickt worden. Er wusste noch, dass sie zusammen durch die Gassen gegangen waren. Er wusste noch, dass sie zusammen einen kleinen Kramladen betreten hatten, und eine weißhaarige, runzelige Frau hatte hinter dem Ladentisch gestanden ... Weiter wusste er nichts mehr. Er war nur sehr glücklich und ging in den Flur, wo das Telefon stand. Er machte kein Licht, denn der Mond schien hell genug. Sieben Mal drehte er die Ziffer Null. »Hallo«, sagte er leise. »Bist du da, Tintje?«
Und eine Stimme sagte durch das Telefon: »Ja, ich bin da, Tom.«
»Soll ich zu dir kommen?« fragte Tom.
»Ich bin schon hier«, sagte die Stimme. »Guck dich nur um.« Tom blickte auf, und auf dem Schemel saß das Mädchen, das seinen Namen verloren hatte, das Nachbarskind Tintje.
Sie lachte und gab ihm einen Kuss. »Danke«, sagte sie. »Weißt du noch? Die alte Frau in dem Kramladen? Das war eine Hexe, und sie hat mich eingeschlossen und mir meinen Namen abgenommen. Und du hast mir meinen Namen wiedergegeben.«

Sie gingen zusammen hinaus. Der Mond verblasste, und der östliche Himmel wurde blutrot. Die Sonne ging auf, und die Menschen kamen aus den Häusern.
»Ach, da ist ja das Mädchen«, riefen sie, »das Mädchen, das so lange weggewesen ist! Wie heißt du doch gleich, Mädchen?«
»Tintje«, sagte sie. Sie legte Tom den Arm um die Schultern, und sie gingen zusammen an der Mauer bei der Kirche entlang! Sie sahen die Tür, und vor der Tür stand der Hase. Er nahm die Zigarettenspitze aus dem Mund, winkte ihnen freundlich zu und verschwand durch die Tür. Tom wollte ihm nach, aber Tintje rief: »Nicht, Tom! Da ist doch überhaupt keine Tür.«
Sie hatte Recht. Da war keine Tür.

Der Froschkönig

Vor langer Zeit lebte einmal eine Prinzessin, die war so schön, dass die Hunde auf der Straße den Atem anhielten, wenn sie vorüberging, und sogar der alte Herr Pastor, der sonst kein Auge hatte für solche Dinge, putzte seine Brillengläser und sagte:

»Donnerwetter.«

Leider wusste auch die Prinzessin selbst sehr gut, wie schön sie war. Jeden Tag saß sie neun Stunden vor dem Spiegel und guckte und guckte, bis es jedermann übel davon wurde. Die Zeit, die übrig blieb, benutzte sie, um sich umzuziehen. Immer wieder ließ sie sich neue Sachen machen, und sie hatte doch schon hundertsiebenunddreißig Kleider, zwölfhundertachtundsiebzig Hüte und so viele Schuhe, dass ein besonderes Schuhhaus an den Palast angebaut werden musste. Es war schrecklich, und ihre Eltern machten sich große Sorgen.

»Das Kind ist viel zu eitel«, sagte der König. »Wir müssen etwas dagegen tun.«

»Sprich du doch noch mal mit ihr«, seufzte die Königin.

Der König stieg hinauf und trat in das Zimmer seiner Tochter. Sie saß wieder vor dem Spiegel, umgeben von lauter grünen Hüten, die sie einen nach dem anderen aufprobierte. »Sitzt du schon wieder vor dem Spiegel?« fragte der König.

»Ich will mir ein schönes grünes Hütchen aussuchen«, sagte die Prinzessin. »Aber von keinem gefällt mir das Grün. Das, was ich mir vorstelle, ist nicht dabei.«

»Kind«, sagte der König, »jetzt hör endlich mal auf, Hüte aufzuprobieren. Du solltest lieber Klavier üben oder deine Mathematikaufgaben machen. Auf jeden Fall, tu etwas Nützliches!«

»Keine Zeit«, sagte die Prinzessin. »Zuerst die Hüte!«

Da wurde der König wütend. Er packte den Spiegel und schmetterte ihn auf den Fußboden, dass er zerbrach. »So!« rief er. »Und jetzt gehst du raus an die frische Luft. Du gehst im Wald spazieren und kommst erst in einer Stunde wieder nach Hause. Marsch! Raus!«

Die schöne Prinzessin senkte den Kopf. Sie war sehr erschrocken und wagte nicht, ungehorsam zu sein. Sie ging also in den Wald, bis sie an einen verborgenen Weiher kam.

»Hei«, rief die Prinzessin, »Wasser! Nun habe ich wieder einen Spiegel.« Sie beugte sich hinunter, um ihr Bild im Wasser zu sehen, aber die Frösche waren so unruhig, dass die Oberfläche sich immer wieder kräuselte.

»Was für eine Menge Frösche!« rief die Prinzessin. »Und alle grün. So ein schönes Grün. So einen Hut will ich haben.« Und sie rannte nach Hause, in den Palast, wo sie auf einen Reitknecht traf.

»Geh sofort zum Weiher im Wald«, keuchte die Prinzessin atemlos. »Fang alle Frösche dort. Ich bestelle inzwischen den Hutmacher, der soll mir einen Hut aus den Häuten machen.« Der Stallknecht nahm ein großes Netz und ging zum Weiher. Aber als er ankam, hatten alle Frösche sich unter den Wasserpflanzen versteckt. Nur einer war noch da. Es war der Herrscher der Frösche, der Froschkönig.

»Was willst du?« fragte der Froschkönig barsch.

»Entschuldigen Sie bitte«, sagte der Reitknecht höflich und nahm die Mütze ab, »ich hab den Auftrag von der Prinzessin, alle Frösche zu fangen.«

»Und was will die Prinzessin mit meinen Fröschen?« fragte der Froschkönig. »Sie will, mit Verlaub, einen Hut davon machen lassen«, sagte der Reitknecht.

»Wirklich?« fragte der Froschkönig. »Also gut, junger Mann, sie hat den Hut bereits. Er sitzt ihr ein bisschen tief über den Ohren, aber das schadet nichts. Geh nach Haus und bestell ihr Grüße vom Froschkönig. Guten Tag.«

Ein wenig bange und bestürzt ging der Reitknecht in den Palast zurück. Dort fand er die königliche Familie in großer Aufregung und Betrübnis. Irgendwas war mit der Prinzessin geschehen. Etwas ganz Entsetzliches. Ihr Körper

war unverändert geblieben. Sie hatte noch dieselbe schöne Gestalt, dieselben schönen Hände und Füße, aber ihr Kopf war ein Froschkopf geworden. Ein großer, grüner Froschkopf. Es war ein greulicher Anblick.
»Das hat der Froschkönig getan, das hat der Froschkönig getan!« rief der Reitknecht, aber niemand hörte auf ihn,

und er ging wieder in seinen Stall, der ganze Hof aber war in großem Aufruhr.
Man holte den Arzt und den Hofadvokaten und den Hautspezialisten, aber die schüttelten alle drei den Kopf und sagten, da sei nichts zu machen. »Sie werden sich damit abfinden müssen«, sagten sie zum König.
»Mich mit einem Froschkopf abfinden! Niemals!« zeterte der König.
»Vielleicht können wir sie ein bisschen hübscher machen«, sagte die Königin. »Mit einer Perücke und ein bisschen Puder kann man viel erreichen.«
Die Hoffriseure wurden alle herbeizitiert. Sie setzten der Prinzessin eine prächtige Perücke auf den kahlen Schädel, sie machten ihr grünes Gesicht weiß mit Puder und versuchten, ihren Mund rot anzumalen. Sie verbrauchten einen ganzen Lippenstift, denn so ein Froschmaul ist breit. Als sie fertig waren, hielten sie der Prinzessin einen Spiegel vor.
Sie warf einen Blick hinein und stieß einen Entsetzensschrei aus. Es war aber auch wirklich abscheulich. Sie sah aus wie der verrückteste Clown der ganzen Welt.
»Immerhin ist es besser als all das Grün«, sagte die Königin tröstend, aber die Prinzessin riss sich los und lief in ihr Zimmer, zog die Perücke vom Kopf und wischte sich die Farbe vom Gesicht. Dann floh sie durch die Hintertür hinaus.

»Wer war das, mit dem du gesprochen hast?« fragte sie den Reitknecht.
»Der Herrscher der Frösche«, stammelte er. »Er nennt sich Froschkönig. Sie haben noch ein bisschen Farbe am Maul.« Die Prinzessin sah ihn traurig an. »Verzeihung, am Mund«, sagte der Reitknecht und wurde rot vor Verlegenheit, aber sie war schon fort.
Sie ging in den Wald, beugte sich über den Weiher und rief: »Froschkönig!«
Aber es kam keine Antwort. Alle Frösche hielten sich verborgen, auch ihr König.
»Mach mich bitte wieder richtig, lieber Froschkönig«, flehte die Prinzessin.
Keine Antwort.
»Dann mach mich ganz zum Frosch«, schluchzte die Prinzessin. »Lieber ein ganzer Frosch als ein halbes Mädchen.«
So jammerte sie am Rande des Weihers, aber nicht ein einziges Geräusch war zu hören, und da es im Weiher so ruhig blieb, konnte sie sich nun ganz deutlich darin sehen: ein großer, dicker, grüner Froschkopf.
Seufzend wandte sie sich um und ging weiter. Sie wollte nicht wieder nach Hause zurückkehren. Und so lief sie, bis sie in die Stadt kam. Dort trat sie in einen Bäckerladen und bat um ein Brötchen, aber der Bäcker fuhr zurück, und die Bäckersfrau kam mit dem Teppichklopfer, um sie wegzujagen.

»Darf ich dann vielleicht hier Dienstmagd werden und die allerschmutzigste Arbeit tun?« fragte die Prinzessin.
»Danke schön«, sagte die Bäckersfrau. »Keine Frösche in meiner Küche. Scher dich fort!«
Überall wurde die arme Froschprinzessin weggejagt, und sie sah immer hässlicher aus, denn ihr Kleid wurde schmutzig und bekam Risse. Endlich gelangte sie in ein anderes Land, ging zum königlichen Palast und fragte an der Hintertür, ob man vielleicht Arbeit für sie hätte. »Ich will alles tun«, sagte sie. »Ich könnte Mist karren oder in einer dunklen Ecke wollene Socken stricken.«
»Mein liebes Froschfräulein«, sagte der Oberpersonalchef, der sie anhörte, »wir haben hier keinen Mist, und wollene Socken tragen wir auch nicht. Es tut mir Leid. Guten Tag.«
Betrübt drehte sich die Prinzessin um und wollte weitergehen, da rief der Mann sie zurück und flüsterte: »Warte, ich wüsste doch vielleicht etwas für dich. Der Königssohn, der hier lebt, ist blind, und man muss ihm den ganzen Tag vorlesen. Du hast eine schöne Stimme, und er kann dich ja nicht sehen, also komm mit, zuerst unter die Dusche und dann vorlesen.«
So kam die Froschprinzessin in den Palast zu dem blinden Prinzen. Er wohnte in einem Turmzimmer voller Märchenbücher, die sie ihm vorlesen musste, eins nach dem anderen.

Sie machte es so gut, und ihre Stimme klang so süß, dass der Prinz keine Stunde mehr ohne sie sein konnte. Sie musste mit ihm am Tisch essen und nachts in einer kleinen Kammer über seinem Zimmer schlafen.
»Du bist sicher hübsch. Wie schade, dass ich dich nicht sehen kann«, sagte der Prinz manchmal, und die hässliche Froschprinzessin schwieg dazu.
Eines Tages, als sie wieder vorlas, hörten sie von draußen einen ungeheuren Lärm.
»Was ist denn da los?« fragte der Prinz.
Sie beugte sich aus dem Fenster und rief: »Ach, wie komisch! Zwei Hofdamen haben Krach miteinander. Sie schlagen sich und zerren sich an den Haaren.«
»Wie schade, dass ich das nicht sehen kann«, rief der Prinz. Er hatte Tränen in den Augen vor Ärger, und das passierte ihm nicht oft.
Da bekam die Prinzessin ein solches Mitleid mit dem Prinzen, dass ihr plötzlich etwas einfiel, und sie fragte, ob sie wohl zwei Tage frei haben könnte.
»Zwei Tage?« rief der Prinz. »Soll ich zwei Tage ohne dich sein?«
»Ich werde noch besser lesen, wenn ich wiederkomme«, sagte die Prinzessin.
Sie nahm Abschied und machte sich auf den Weg in ihr eigenes Land, wo sie sofort den Weiher im Walde aufsuchte. »Froschkönig!« rief sie.

»Hier bin ich«, sagte der Froschkönig. Und wahrhaftig, da saß er auf einem großen Blatt. »Du willst mich sicher bitten, dass ich dich wieder schön mache«, sagte er.

»Nein, nein«, rief die Prinzessin hastig. »Ich weiß ja, dass Sie das nicht tun. Ich komme wegen des blinden Prinzen in unserm Nachbarland. Können Sie ihn wieder sehend machen?«

»Worrrk«, sagte der Froschkönig. »Das könnte ich wohl, aber hast du daran gedacht, dass es dann für dich nicht gut aussieht? Er wird erschrecken, wenn er dich sieht. Er wird dich wegjagen.«

»Daran hab ich auch schon gedacht«, sagte die Prinzessin, »aber das ist mir gleich.«

»Also gut«, sagte der Froschkönig. »Geh nur zu ihm zurück. Ich werde sehen, was ich tun kann.«

Überglücklich eilte die Prinzessin zurück ins Nachbarland. Als sie zum Palast kam, stand ein Lakai auf der Türschwelle und rief: »Es ist ein Wunder geschehen. Der Prinz kann sehen!«

»Wo ist er?« fragte die Prinzessin.

»Im Garten«, sagte der Lakai. »Er schaut sich alle Menschen und Tiere und Blumen an, und gerade haben die Hofdamen wieder Krach miteinander, und er sieht ihnen zu.«

»Schön«, sagte die Prinzessin. Sie schlich die Wendeltreppe hinauf in ihre runde Kammer und machte sich daran, ihre Siebensachen in ein kariertes Küchenhandtuch zu schnüren. Als sie fertig war, wollte sie genauso leise die Treppe wieder hinunterschleichen, um endgültig zu verschwinden. In diesem Augenblick erschien ein Kammerherr und sagte: »Der Prinz wünscht Sie sofort zu sehen.«

»Oh«, sagte die Prinzessin verwirrt.

»Er ist in seinem Zimmer«, sagte der Kammerherr. »Er lässt Sie bitten, sofort zu kommen.«

»Sehr wohl«, sagte die Prinzessin. Sie sah sich rasch um, ob es nicht doch noch einen Ausweg gäbe. Aber es bestand keine Möglichkeit, sich heimlich davonzumachen, und darum nahm sie die Scheibengardine von ihrem kleinen Fenster und bedeckte Kopf und Gesicht damit. So trat sie in das Zimmer des Prinzen.

»Kommst du endlich«, sagte er. »Warum hast du denn eine Gardine über dem Kopf?«

»Die trage ich immer«, sagte die Prinzessin.
»Nimm den Lappen vom Kopf«, sagte er.
»Nein«, sagte sie.
»Ich befehle es«, sagte der Prinz.
Da begriff sie, dass ihr nichts anderes übrig blieb. Sie nahm die Gardine an einem Zipfel und zog sie herunter. Sie machte die Augen zu und seufzte. Eine ganze Weile geschah nichts. Es blieb sehr still im Zimmer. Endlich hörte sie den Prinzen tief aufatmen, und er sagte: »So hatte ich es mir nicht vorgestellt.«
»Das dachte ich mir«, sagte die Prinzessin traurig.
»Sieh mich an«, sagte er.
Sie hob den Kopf und schlug die Augen auf. Sie sah, dass der Prinz sie strahlend und voll tiefer Bewunderung anstarrte. »Du bist noch viel schöner, als ich vermutet hatte«, sagte er.
»Mach dich nicht lustig über mich«, sagte die Prinzessin. »Ich hab ein Froschgesicht.«
»Glaubst du das wirklich?« fragte der Prinz fröhlich. »Schau hier in meinen Spiegel!«
Sie nahm den Spiegel und guckte hinein. Zu ihrer großen Verwunderung sah sie ihr früheres Gesicht. Es war wieder genauso schön, nur viel freundlicher. Das hatte sie dem Froschkönig zu verdanken.
Sie heirateten noch im Lauf der Woche und reisten zusammen zu ihren Eltern, die überglücklich waren. In

den beiden Ländern wurde gefeiert, und am Abend gab es ein Konzert mit tausend Trompeten. Nur der Prinz und die Prinzessin waren nicht dabei. Sie lauschten einem viel schöneren Konzert. Hand in Hand saßen sie am Weiher im Wald und hörten den Fröschen zu.

»Das war's dann mal wieder«, sagte der Froschkönig.

DIE ZEIT empfiehlt:

Von Hexen, Riesen und so weiter

Dürfen Geschichten für Kinder politisch sein? Sollten sie es sein? Auf jeden Fall, jedenfalls dann, wenn es einem Autor gelingt, seine Botschaft nicht zur platten Agitation verkommen zu lassen; wenn der moralisch erhobene Zeigefinger nicht schon von ferne zu sehen ist und das gut gemeinte Engagement gegen Atomkraft, Ausländerfeindlichkeit oder Krieg jeden ästhetisch-literarischen Anspruch zerquetscht. Leicht und fein, witzig, wunderbar und geheimnisvoll sind die Märchen der Niederländerin Annie M. G. Schmidt (1911 bis 1995) aus den Sechzigerjahren – und oft geht es der Autorin darin auch um Politik, um Machtverhältnisse, um das Benehmen von Starken gegenüber Schwachen.

Da ist zum Beispiel die seltsame Jungfer Bock, die den Bürgermeister in seiner Sprechstunde aufsucht, um sich darüber zu beklagen, dass ihr Haus abgerissen werden soll: »›Ich wohne in der Stoofstraße‹, sagte die alte Dame. ›Ach so, das ist dann ein besonderer Fall‹, sagte der Bürgermeister: ›Die ganze Straße wird abgerissen, weil da ein großes Hotel gebaut werden soll. Tja, daran ist nun nichts zu ändern. Das ist Gemeindepolitik.‹ ›Und wo soll ich wohnen?‹ fragte Jungfer Bock. ›Sie bekommen eine andere Wohnung zugewiesen‹, sagte der Bürgermeister. ›In einer guten

Gegend. In einem modernen Hochhaus.‹ ›Ich will aber nicht in eine andere Gegend‹, sagte Jungfer Bock energisch. ›Ich wohne schon seit vierzig Jahren in der Stoofstraße, und ich will auch nicht in eine moderne Etagenwohnung. Da könnte ich mich nie zu Hause fühlen.‹ ›Tja‹, sagte der Bürgermeister. Er spürte plötzlich, wie müde er war. Dreizehn Menschen hatte er an diesem Morgen angehört, und alle hatten sie etwas von ihm gewollt …«

Zu seinem eigenen Unglück lässt sich der Bürgermeister zu harten Worten hinreißen; als die Jungfer Bock erwidert, lieber als in einem Hochhaus wohne sie in einem Mauseloch, sagt er ungeduldig, dann solle sie das tun. Hat er denn nicht bemerkt, dass ihr Kleid mit Fledermäusen bedruckt ist? Dass in ihrem Haar eine Taube nistet und dass Spinnweben ihren Rücken bedecken? Dass es mithin höchst gefährlich sein könnte, eine solche alte Dame mit bürokratischer Gleichgültigkeit zu behandeln? Nein, der Bürgermeister ist zu beschäftigt und zu unaufmerksam, und darum wird er verhext – in eine Maus, das ergibt sich schließlich fast zwingend aus dem Verlauf des Gesprächs. Als Maus wird er gejagt, fast ertränkt, von Hunden und Katzen bedroht; er fühlt sich klein, unbedeutend, verloren und so hungrig, dass er verzweifelt die Seite eines Kochbuches frisst (»Es schmeckte allerdings nicht sehr nach Champignons …«).

Nach vielen Abenteuern gelangt er in eine gemütliche,

unordentliche, altmodische Küche, in der es köstlich nach gebratenem Speck duftet. Und als die seltsame Jungfer Bock den Bürgermeister zurückverwandelt, hat er zwei Dinge gelernt: Erstens sind verwinkelte, alte Küchen viel angenehmer für Mäuse als moderne Hochhäuser. Und zweitens sollte sich kein Bürger seinen politischen Repräsentanten gegenüber so klein und unbedeutend vorkommen wie eine Maus.

Auch einen totalitären Staat entwirft Annie Schmidt mit wenigen Federstrichen: In *Der Marschall, der sein Ohr zum Horchen abnehmen konnte* unterdrückt ein grausamer König seine Untertanen, indem er sie ausspioniert: Niemand kann sich sicher fühlen, niemand kann offen seine Meinung sagen, denn das schreckliche Ohr des Marschalls fängt alle Worte auf, und der Marschall denunziert die Leute beim König. Wer sich kritisch geäußert hat, den lässt der Herrscher an den Bäumen im Kirschgarten aufhängen, und dort klappern die Gerippe seiner Opfer traurig im Wind. Erst die Liebe der Prinzessin zu einem jungen Bärenführer und der Appetit seines Bären auf Marschallsohren führen zum Sturz des Schreckensregimes.

Von einer eigenartig ambivalenten Kulturkritik ist die Geschichte vom Summervolk durchdrungen. Die Summer sind eine Elfenart, die, wie ihr Name nahe legt, auf betörende Art summen und die Sterblichen in ihren Bann schlagen. Das Mädchen Liesje entdeckt die Zauberwesen,

als an einem frühen Morgen der Fahrstuhl in ihrem Mietshaus nicht wie erwartet im Erdgeschoss hält, sondern weiter und weiter fährt.
Das Reich der Summer liegt so tief unter der Oberfläche, weil sie mit jeder neuen, geräuschvollen Erfindung der Menschen – Dampfmaschine, Automobil, Fernsehgerät – 50 Meter weiter in die Tiefe sinken. Und einen dieser lauten Apparate, ein Transistorradio, benutzt Liesjes Bruder, um seine Schwester vor dem Einfluss der Elfen zu retten: Er hat nämlich bemerkt, dass Liesje schon selbst im Schlaf summt, dass sie haarige Ohren bekommen hat wie ein Fuchs und dass ihre Zöpfe einen grünlichen Schimmer aufweisen. Der (Vor-)Leser dieser Geschichte empfindet Bedauern darüber, dass das Elfenreich immer weiter entschwindet – und ist doch zugleich froh, dass Liesje bei ihrer Familie bleiben kann, denn ganz und gar harmlos wirken die Summer-Elfen eben auch nicht.
Annie Schmidt entführt Leser und Zuhörer noch an viele andere ungewöhnliche Orte, ins Reich der tiefgekühlten Damen zum Beispiel; oder in den grässlichen Wald, wo *Das Untier mit dem Nachnamen* haust. In einem ihrer Königreiche grüßen alle Bürger die Drosseln, weil niemand weiß, welche von ihnen die verzauberte Prinzessin sein könnte. In einem anderen sind die königlichen Eltern in schwerer Sorge, weil die Prinzessin unerträglich eitel ist: »Jeden Tag saß sie neun Stunden vor dem Spiegel und

guckte und guckte, bis jedermann übel davon wurde.« Die eitle Prinzessin wird ziemlich unsanft durch den Froschkönig geheilt – aber Annie Schmidt macht nicht nur ironische Anleihen bei Grimms Märchen oder den Zaubermärchen Ludwig Bechsteins. Sie verarbeitet auch Motive aus der englischen Kinderliteratur. So tritt in der Geschichte vom *Mädchen, das seinen Namen verloren hatte* ein großer Zigarre rauchender Hase auf, der stark an das weiße Kaninchen aus *Alice im Wunderland* erinnert. Kinder werden nicht alle dieser literarischen Anspielungen verstehen, aber für die vorlesenden Erwachsenen erhöhen sie den Lesespaß enorm.

Susanne Gaschke

DIE ZEIT

KINDER-EDITION

Die schönsten Bücher zum Vorlesen

1. Astrid Lindgren
Die Puppe Mirabell
und andere Geschichten
ISBN 3-938899-00-X

2. Edith Nesbit
Drachen, Katzen, Königskinder
ISBN 3-938899-01-8

3. Jella Lepman (Hg.)
Die Katze mit der Brille.
Die schönsten Gutenacht-
geschichten
ISBN 3-938899-02-6

4. Oliver Postgate
und Peter Firmin
Die Sage von Noggin dem Nog
ISBN 3-938899-03-4

5. Annie M. G. Schmidt
Von Hexen, Riesen und so weiter
ISBN 3-938899-04-2

6. Richard & Florence Atwater
Mr. Poppers Pinguine
ISBN 3-938899-05-0

7. Agnes Sapper
Das erste Schuljahr
ISBN 3-938899-06-9

8. Eleanor Estes
Die Hexenfamilie
ISBN 3-938899-07-7

9. Adolf Himmel
Frederico Oktopod
und Tünne Tintenfisch
ISBN 3-938899-08-5

10. Sid Fleischman
Firma Zaubermeister & Co.
ISBN 3-938899-09-3

11. Willis Hall
Und Dinosaurier gibt es doch ...
ISBN 3-938899-10-7

12. Joan Aiken
Wölfe ums Schloss
ISBN 3-938899-11-5

13. T. H. White
Schloss Malplaquet oder Lilliput
im Exil
ISBN 3-938899-12-3

14. Penelope Lively
Der Geist des Apothekers
ISBN 3-938899-13-1

15. Pauline Clarke
Die Zwölf vom Dachboden
ISBN 3-938899-14-X